Les modèles

2-Amitiés toxiques

marie potvin

Gouvernement du Québec – Programme de crédit d'impôt
pour l'édition de livres – Gestion Sodec

Nous reconnaissons l'aide financière du gouvernement du Canada
par l'entremise du Fonds du livre du Canada pour nos activités d'édition.

Les filles modèles, 2. Amitiés toxiques
© Les éditions les Malins inc., Marie Potvin
info@lesmalins.ca

Éditrice au contenu : Katherine Mossalim
Éditeur : Marc-André Audet
Correctrices : Corinne de Vailly, Fleur Neesham et Dörte Ufkes
Illustration de la couverture : Estelle Bachelard
Conception de la couverture : Shirley de Susini
Mise en page : Chantal Morisset

Dépôt légal – Bibliothèque et Archives nationales du Québec, 2015
Dépôt légal – Bibliothèque et Archives Canada, 2015

ISBN : 978-2-89657-288-5

Imprimé au Canada

Les éditions les Malins inc.
Montréal, QC

À Sandrine,
Comme tu vois, je suis tombée
dans la marmite ;-)

Avec en vedette :

Marie-Douce
Brisson-Bissonnette

Laura
St-Amour

Prologue

— C'est déjà tout pardonné! C'est moi qui te demande pardon! Ne la laisse pas s'en aller, Corentin! Aide-moi! Je me fiche du chat, je veux ma sœur!

Les mots de Laura me font l'effet d'une cascade de caramel dans le ventre. Je suis touchée; j'ai les larmes aux yeux. Mon premier réflexe est de me retourner et de courir vers elle pour la serrer contre moi.

Juste au moment où je vais reculer, le père de Corentin, Valentin Cœur-de-Lion, me jette un regard sévère, l'air de dire : « Si tu y retournes après tout ce que nous avons fait pour toi, tu auras affaire à moi! »

Intimidée par la physionomie austère de mon nouveau beau-père, je ferme les paupières, retiens mes sanglots et m'engouffre dans la limousine, ma mère sur mes talons.

— Corentin, monte! s'écrie monsieur Cœur-de-Lion.

Ce dernier n'est pas acteur pour rien, il possède un ton de voix grave qui vous dresse les poils sur les bras. Il est grand, bronzé, ses dents sont blanches comme des perles et le bleu de ses yeux est perçant. Si peu naturel qu'il est parfait pour ma mère... *Ai-je dit ça tout haut? Non... une chance...*

À travers la vitre teintée, j'aperçois mon nouveau demi-frère se détacher à regret de Laura. Elle est en pleurs ; ses deux mains cachent son visage. Une fois à l'intérieur, alors que Bruno, le chauffeur, claque la portière, Corentin essuie sa joue d'une paume tremblante.

– Marie-Douce !

C'est la voix de Laura que j'entends au loin. Il est trop tard, la voiture est déjà en marche.

Nous sommes en direction de ma nouvelle demeure. Ou devrais-je dire mon « palace » ! Jamais je ne me sentirai chez moi dans une résidence aussi froide. Dès que j'y ai mis le pied, lors de ma première rencontre avec mon beau-père, j'ai tout de suite compris pourquoi Corentin passait autant de temps sur la colline derrière le musée. Le gazon est plus chaleureux que sa maison.

C'est immense, tout est blanc, les meubles comme le plancher et les murs ; on ne peut pas bouger sans qu'un adulte quelconque – parfois la nounou, parfois une femme de ménage, parfois monsieur Cœur-de-Lion lui-même – nous réprimande parce que nous risquons de salir la belle déco. En quelques minutes, j'ai regretté ma décision de venir vivre chez ma mère. Puis, ils m'ont montré ma chambre… digne d'une princesse. Wow, je ne m'attendais pas à autant de luxe et de trucs aussi cool. Un long bureau de travail, une télé grand écran encastrée dans le mur du fond. Pour la déco, ma mère a choisi mes anciennes couleurs favorites, rose et jaune. Ce n'est pas ce que j'aurais choisi, mais bon, je ne m'attendais pas à ce que Miranda connaisse mes goûts du jour. J'ai mon propre gymnase… et un prof privé pour mes cours de ballet et de karaté. Un pour chaque sport!

C'est Miranda qui a tout manigancé. C'est comme ça que j'ai découvert qu'elle était « en ville » depuis plus longtemps que je ne l'avais cru. Sachant que je ne serais pas facile à amadouer, elle avait pensé à tout. Quand Miranda prend une décision, elle s'arrange pour ne pas manquer son coup! Quel ado refuserait un palace pareil?

Malgré tous ses efforts, elle n'a pas songé au fait que j'aimais peut-être aller à mes cours, y voir mes amis et mes professeurs. Je ne fais pas ces activités pour m'isoler et devenir une machine performante… C'est mon univers, un endroit où les gens partagent les mêmes passions que moi. Non, Miranda ne comprend pas ce genre de chose.

Nous approchons de Vaudreuil-sur-le-Lac et, le cœur en vrille, je glisse ma main dans celle de Corentin sans m'en rendre compte. La surprise sur son visage me fait prendre conscience de mon geste. De sa main libre, il attire ma tête contre son épaule. Le raclement de gorge de monsieur Cœur-de-Lion, accentué d'un froncement de sourcils, force Corentin à me donner un petit coup d'épaule pour que je relève la tête et lâche sa main. Pas d'accolade entre nous, semble-t-il. Corentin m'avait avertie que son père était strict et vieux jeu. Je commence à le croire !

— C'est bien fait pour elle, dit Miranda sans remarquer l'attitude sévère de son mari. Après ce que tu m'as raconté, tu seras mieux avec nous, Marie-Douce, tu verras. Cette fille t'apportait juste des problèmes de toute façon ! Tu vas adorer Paris !

Ah oui ! Grande nouvelle ! Nous partons pour Paris jusqu'au début des classes en septembre… Une idée de monsieur Cœur-de-Lion appuyée par Miranda. J'ai d'abord hésité et j'ai discuté avec papa pour savoir ce qu'il en pensait. J'étais convaincue qu'il tenterait de me décourager. Ce fut le contraire. Mon père a toujours une bonne raison derrière chacune de ses décisions, même si ç'a l'air bizarre sur le coup. Il semble avoir jugé que c'était bon pour mon éducation. C'est ce qu'il m'a dit, en tout cas ! J'ai décidé de lui faire confiance et d'accepter.

— J'ai encore de la difficulté à croire que papa me laisse partir aussi facilement…

Miranda roule les yeux avant de battre des paupières dans son jeu de charme habituel.

— Je lui ai fait comprendre qu'une fille de ton âge a besoin de passer du temps de qualité avec sa mère, et que les voyages forment la jeunesse. Quatre petits mois, c'est pas si long, après tout ! Je mérite que tu sois un peu présente dans ma vie ! C'est toujours ton père qui t'a avec lui…

Chère Miranda, toujours aussi généreuse. Elle ne pense qu'à elle, mais j'y suis habituée.

— Et mes examens de fin d'année ?

— C'est arrangé avec madame Laperte. Quand ils ont su que ton beau-papa était célèbre, ils n'ont pas hésité une seule seconde à m'offrir leur coopération, il va sans dire…

— C'est madame LaCerte, pas LaPerte !

Ma mère a cette manie de changer les noms des gens. Je trouve ça si… irrespectueux ! Mais elle ne m'écoute pas…

— Et comme tu es une première de classe, ç'a aidé notre cause. Le directeur de ton école, monsieur Tranchemontagne, t'a permis de terminer l'année à distance. Toi aussi, Corentin.

— Elle a dit son nom correctement, murmure Corentin à mon oreille. Elle doit s'être trompée !

Souriant au commentaire ironique de mon ami, j'essuie mes larmes, tentant de me raisonner. Passer les quatre prochains mois en France sera une belle aventure. Je verrai de nouvelles choses, rencontrerai des gens fascinants. J'ai toujours rêvé de voir la tour Eiffel. Et passer du temps avec ma mère ne sera peut-être pas si mal, en fin de compte. Oui, mettre de la distance entre Laura et moi sera préférable. Nous nous retrouverons en septembre. Elle aura mûri et moi aussi.

— Oui, t'as raison, Miranda. C'est mieux comme ça.

Alors, pourquoi ai-je si mal ?

Chapitre 1

Disco des ténèbres

La fin des classes sans Marie-Douce et Corentin est terne et ardue. Les dernières semaines ont passé à pas de tortue. Je viens de terminer mon dernier examen de fin d'année, le pire qui soit : mathématiques !

En cette fin de juin, l'air est chargé de cette chaleur humide qui vous crée une couche de sueur sous le nez. Je déteste ça. Nous sommes tous là, les vingt-six élèves du groupe 113, à nous éventer avec nos feuilles quadrillées pliées en accordéon. Pourquoi fallait-il que nous tombions sur la pire salle de classe de l'immeuble ? Une seule petite fenêtre laisse passer un mince filet d'air chaud au-dessus de nos têtes. Trois heures pour terminer douze pages de problèmes et d'équations. À ma droite, Constance Desjardins transpire et semble sur le point de pleurer. Je le devine à ses soupirs répétés et aux changements de position frénétiques qu'elle exécute depuis la dernière heure. Je sais à quel point l'absence de Marie-Douce lui a nui dans les derniers jours ; c'était toujours elle qui aidait Constance à étudier.

– Tu t'en es sortie ?

C'est la question que je lui pose dès que la cloche sonne et que monsieur Huard ramasse nos feuilles. L'air qu'elle me fait m'inquiète. Son visage est couvert de gouttelettes et ses yeux sont rouges.

— Oui, ça va, c'est… Euh… le rhume des foins qui me dérange.

Autour de nous, les gars et les filles courent en riant. L'année scolaire vient de finir. Je devrais danser la claquette, moi aussi, mais… bof. L'été qui se dresse devant moi comme un gouffre d'ennui ne me réjouit pas.

— On va faire un pyjama-party ce soir, m'annonce Constance.

— Ah oui ? Avec qui ?

— Ben… Juste Samantha et moi… T'es invitée, si tu veux. Maman t'aime bien.

— Ta mère est cool. C'est une bonne idée, à quelle heure ?

— T'arrives quand tu veux.

Les jours qui suivent, je passe beaucoup de temps chez Constance. Samantha arrive et repart à sa guise, puisque le père de Constance est son grand-père. C'est une drôle de famille. Ils sont, disons, rafraîchissants. Parfois, c'est Samuel qui entre en trombe. Comme nous avons pris l'habitude de jouer au Monopoly sur la table de la cuisine, nous le regardons se faufiler, fouiller dans le frigo, se faire un sandwich après l'autre et déguerpir non sans avoir énervé sa jumelle Samantha d'une blague plate quelconque. Chaque fois qu'il entre, mon cœur s'arrête. J'espère toujours qu'il nous demande de l'inclure dans notre jeu, chose qu'il ne fait jamais. Il ne m'a pas reparlé depuis le départ de Corentin et de Marie-Douce. Quand Samuel décide d'ignorer quelqu'un, il le fait avec brio. Tant pis pour moi…

Depuis quelque temps, Maurice Gadbois le suit comme un chien de poche. La bonne nouvelle, c'est que la chaleur de l'été l'a forcé à laisser de côté son fameux blouson de cuir noir qu'il adorait tant. Sans son manteau fétiche, il redevient ce garçon dodu et frisé un peu balourd Autre bonne chose : Maurice a fait couper ses cheveux. Bye-bye, l'afro. Ce n'est pas que son apparence me concerne, mais ça lui fait du bien d'améliorer son style ! Il m'a d'ailleurs encore demandé si j'avais vu Érica dans les derniers jours. Il est en pâmoison sur mon ancienne *BFF*, celle que je ne vois plus depuis qu'elle m'a envoyé un texto par erreur.

« *Salut, Alex ! As-tu vu le drame de FOU qui arrive à Laura ? Tant pis pour elle, si tu veux mon avis ! Il était temps que quelqu'un la remette à sa place. Elle me tape pas mal sur les nerfs depuis des semaines. Savais-tu qu'elle tripe sur Samuel Desjardins ? OUF !*

*Elle n'arrête pas de le regarder, c'en est comique !
Hé, changement de sujet, on va toujours au cinéma
samedi ? »* avait-elle écrit, croyant l'avoir envoyé à
Alexandrine Dumais, mon ennemie de toujours. Je
lui ai dit ma façon de penser !

J'ai été sur le qui-vive durant des jours, dans
l'attente d'une réponse de sa part. Elle est restée
silencieuse. Je ne suis pas surprise. Que répondre à
*« Erreur de destinataire. Merci beaucoup ! Bonne vie
espèce de conne ! » ?*

Depuis, elle m'évite et je l'évite. Toute cette
méprise et ce désastre n'ont eu pour effet que de
la rapprocher davantage d'Alexandrine-la-pas-fine,
puisqu'elle n'a plus à partager son temps entre nous
deux.

Toujours dans le but de me changer les idées,
cette semaine, j'ai décidé de repeindre moi-même
ma nouvelle chambre. J'ai choisi du violet très
punché pour un mur et pour les autres, je mets du blanc
« étoile de neige ». Ça me fait rire, ces noms recher-
chés qu'ils écrivent derrière les petits échantillons
de teintes. Violet « disco des ténèbres » ! Quand j'ai
vu ça, je me suis dit : c'est pour moi cette couleur
comique là, ça va me remonter le moral !

C'est l'idée d'Hugo. Il a décidé d'abandonner sa
tentative de nous forcer à partager notre espace et

de libérer une pièce pour m'en faire un endroit juste à moi. Il fut un temps où j'aurais pris le placard à balais pour m'éloigner de Marie-Douce. Maintenant, c'est différent.

Le départ en Europe de Marie-Douce et de Corentin m'a abattue. Je ne mangeais plus, je ne riais plus, je ne parlais plus. Mon rendement scolaire s'en est ressenti. Madame Lacerte a demandé à rencontrer maman. Hugo est allé avec elle. Ils ont pris leur temps pour discuter de mon « cas » et se sont occupés de moi. Ils m'ont offert de parler avec Marie-Douce sur Skype, mais j'ai refusé. Ça me rendait trop triste. Je ne savais pas quoi lui dire. Elle est partie sans regarder derrière elle malgré le fait que je criais son nom à tue-tête. Tant qu'à bégayer et avoir l'air d'une folle, j'ai décidé d'attendre son retour.

Pour l'instant, je dois passer à autre chose et me construire une vie sans Corentin et Marie-Douce.

Hugo aussi est malheureux de l'absence de sa fille, ça se voit. Même si elle lui téléphone souvent, et qu'il la voit en vidéo, je constate qu'il n'est plus le même.

— Pourquoi tu l'as laissée partir ?

C'est la première semaine d'août, un mois après la fin des classes. Voilà déjà plus de deux mois que

Marie-Douce s'est envolée pour la France. Hugo me fait un sourire de grand sage.

— Il était temps qu'elle apprenne à connaître sa mère.

À la seule pensée de cette… chipie détestable, je veux vomir.

— Miranda est bizarre !

Hugo éclate de rire à cette remarque. Ma mère me lance un « Laura ! » scandalisé.

— Ben quoi ! Même Marie-Douce la regardait de travers ! Cette femme-là, c'est une folle !

— C'est une façade. Je l'aurais pas épousée si elle n'avait pas eu des qualités !

Il devait être sourd et aveugle…

— Une grosse grosse façade, alors… dis-je.

— Laura, tu as dit que tu allais arrêter de juger les gens au premier abord. On a parlé de ça en long et en large depuis le printemps dernier ! m'avertit ma mère.

— Ben là !

Hugo n'écoute plus notre conversation qui dérive vers une petite querelle mère-fille.

— Pour en revenir à mes raisons de laisser partir Marie-Douce, intervient-il, il se trouve que ce voyage en Europe sera la meilleure chose pour elle. Elle va peut-être vaincre sa timidité, rencontrer des gens différents, apprendre des notions d'histoire… Miranda a promis de lui faire visiter les musées.

Maman et moi ne sommes pas dupes. Hugo essaie de se convaincre qu'il a fait le bon choix pour ne pas regretter sa décision. Un silence de mort s'abat sur notre conversation. Elle nous manque à tous les trois. C'est inutile de le souligner, nous ne le savons que trop. La maison n'est plus pareille sans la présence apaisante de Marie-Douce. Elle ne faisait pas beaucoup de bruit mais elle était précieuse.

Je l'ai malmenée pendant des semaines. Avant d'habiter ici et après notre déménagement. J'ai été méchante. J'ai tout fait pour qu'elle me déteste au point de partir et c'est exactement ce qu'elle a fait. C'est moi qui l'ai fait fuir. Et à cause de mes conneries, Hugo a perdu sa fille. J'ai gagné ma petite bataille, mais j'ai perdu la guerre. C'est moi qui ai eu le plus de peine dans tout ça.

J'ai essayé de la joindre au téléphone après son départ dans cette longue limousine comme on en voit dans les films, mais en vain. J'espère que c'est parce que mes messages ne se rendaient pas jusqu'à elle et non parce qu'elle m'a reniée pour toujours. C'est en grande partie pour cette raison que je refuse de la voir sur Skype. Je ne sais donc pas si elle m'a ignorée ou non. Je tourne la question en boucle dans mon esprit depuis des mois. J'ai peur de la réponse…

Constance me rappelle un peu Marie-Douce dans sa façon d'être discrète, imaginative et patiente. Je reconnais que je l'avais mal jugée. Constance n'est pas si « terne » ou « inexpressive », c'est juste qu'elle est d'un tempérament calme et posé. On peut dire qu'elle en connaît un bout sur les fées, elle aussi. J'espère qu'elles ne parlaient pas que de ça quand elles étaient ensemble.

Je fais aussi un effort respectable pour apprendre à mieux connaître la colorée Samantha Desjardins. Quand il n'y a personne autour, elle se calme et devient agréable. J'ai découvert qu'elle savait jouer du piano et que sa mère donnait des cours. J'en ai parlé à la mienne et, la semaine suivante, j'avais ma première leçon. Ce qu'il y a de bien, aussi, c'est que ça me permet de voir Samuel plus souvent. Même s'il ne me regarde pas, j'entretiens le mince espoir qu'à force d'être là, dans son environnement, il finira par me parler.

Il y a des jours où je me demande si ses visites régulières chez Constance ne seraient pas des excuses pour me voir. Je rêve en secret que ce soit le cas. Je n'ose pas parler de mon attrait pour Samuel à ma nouvelle amie ; je ne voudrais pas qu'elle le lui dise, ou pire, qu'elle croie que je me tiens avec elle pour m'approcher de son neveu.

Ce matin, j'ôte les *posters* horribles que j'avais collés sur les murs de la chambre de Marie-Douce et je replace ses figurines de porcelaine qu'elle avait rangées dans un tiroir pour me faire de la place sur ses tablettes. C'était avant mon arrivée, je ne savais même pas qu'elle avait tout ça. Je découvre plusieurs choses en faisant le ménage pour réunir mes affaires et changer de chambre.

« Marie-Douce avait très hâte que tu t'installes, m'a confié Hugo, elle m'avait demandé ces boîtes pour te donner de l'espace. »

Elle a toute une collection de demoiselles d'antan que sa grand-mère lui a laissée en héritage. Elle a aussi un tas de fées, il y en a de toutes sortes ! J'ai passé beaucoup de temps à les replacer de différentes façons depuis son départ. Je me suis même mise à leur parler… Si Marie-Douce savait ça…

Dracule va bien, il s'est fait une place de roi dans ma chambre. Ce qu'il ne sait pas, c'est que j'ai déjà tout arrangé avec Constance et sa mère pour qu'elles l'adoptent. Quand Marie-Douce reviendra, le chat n'y sera plus. Je pourrai aller le voir dans sa nouvelle demeure. C'est un chat de salon ; tant qu'il a un bol plein de bouffe à toute heure, il est heureux.

Encore deux longs mois avant le grand retour. Hugo, maman et moi irons les accueillir à l'aéroport. J'ai très hâte.

J'ai un peu peur aussi. Sera-t-elle contente de me voir?

Chapitre 2

Des bouffons riches et mal élevés

Miranda et Valentin Cœur-de-Lion se sont mariés sur un coup de tête, après deux jours d'idylle, à Las Vegas, sans la présence de leurs familles. Quand elle est arrivée à Vaudreuil-sur-le-Lac, ma mère était méconnaissable. Sa longue chevelure, auparavant semblable à la mienne, blonde et ondulée, était désormais coupée au-dessus de ses épaules. Un coiffeur renommé lui avait donné ce *look* que les vedettes portent sur le tapis rouge. Parti le naturel de son apparence, j'avais devant moi une Miranda grimée à l'image de son nouveau style de vie. Pour être honnête, ça m'avait un peu soulagée. Moins nous nous ressemblons, mieux je me porte.

Peu après mon départ de chez mon père, nous nous sommes envolés tous les quatre pour Paris, puis avons pris la direction de Saint-Germain-en-Laye, là où se trouve la maison de la grand-mère maternelle de Corentin. La résidence est libre pour l'été, car sa mamie passe les mois de juillet et août à Nice, dans le sud de la France.

Mon père avait raison, ce voyage en Europe est très éducatif. En plus d'avoir la chance de visiter Paris, j'apprends à connaître Corentin. Aujourd'hui, il me présente enfin ses vieux copains du collège Saint-Charles, celui-là même dont il s'était fait mettre à la porte. Ç'a l'air sérieux, cette rencontre. Il ne m'en a pas trop parlé et il m'a demandé de garder le secret sur l'existence de ce petit rassemblement. Serait-ce un de ces espèces de clubs secrets comme on en voit dans les films ? Si c'est le cas, me voilà déjà nerveuse…

— C'est un peu ça, me répond Corentin lorsque je lui pose la question. Normalement, aucune fille n'est admise.

— Ils vont me mettre à la porte, voyons ! Tu devrais y aller seul. J'ai de quoi m'occuper, j'ai des nouveaux romans et…

— Non, tu viens, a-t-il insisté. Ils t'accepteront parce que tu es avec moi.

— Mais…

— Je ne veux pas te laisser seule.

Ce commentaire m'a laissée perplexe. Pourquoi ne pourrais-je pas rester à la maison ? Cette demeure est protégée par une clôture électrique et plusieurs employés sont sur place. Que peut-il donc m'arriver ? Y a-t-il des fantômes ? C'est vrai qu'il s'agit d'une demeure ancestrale ; plusieurs générations de Cœur-de-Lion ont vécu et sont morts dans cette demeure. Il y a même un ancien cimetière sur le terrain. Un peu *creepy*, à mon avis, mais qui suis-je pour juger des mœurs des gens de l'époque ?

— Je suis une grande fille, Corentin, je peux rester ici !

— C'est hors de question !

— Mais on est toujours ensemble depuis notre arrivée en France. On a fait nos travaux d'école ensemble, on a visité des musées ensemble, on a partagé tous nos repas ! T'es pas tanné de m'avoir dans les pattes ?

— Ce n'est pas vrai. Miranda t'a fait visiter Paris tout le mois de juillet.

Il a raison, ma mère s'est transformée en guide pour « faire mon éducation », semble-t-il. Je ne savais pas qu'elle connaissait la Ville Lumière aussi bien !

— Oui… mais j'aurais pensé que t'aurais voulu revoir tes amis sans avoir à t'occuper de la touriste québécoise fatigante…

— Arrête de trouver des excuses bidon. T'as peur de quoi, au juste ?

J'ai soupiré en roulant les yeux. La vérité était ridicule…

— Ce sont tous des fils de gens riches et célèbres. J'ai rien en commun avec eux ! Ils vont me snober !

Corentin a éclaté de rire.

— JE suis un fils d'homme riche et célèbre. Est-ce que JE te snobe ?

– C'est pas pareil et tu le sais! Eux vont rire de moi parce que je ne connaîtrai pas ci ou ça!

– Mais de quoi tu parles? C'est quoi «ci ou ça»? Est-ce que tu t'entends?

– Aaaaah, oui! Je m'entends! Mais, je stresse, OK?

Il s'est approché de moi, puis il a déposé sa main sur mon épaule et a collé son front contre le mien.

– Faisons ceci: tu viens et si tu te sens mal, tu me le dis et on s'en va sur-le-champ. Ça te va comme ça?

– Mais… je ne veux pas gâcher…

– Shhh! Viens!

Comment résister? Je l'ai donc suivi.

Il fera bientôt nuit, Bruno nous a déposés rue Victor-Hugo et nous longeons ensemble la rue Jean-Jaurès, dans Paris. Les alentours ne ressemblent en rien à nos rues résidentielles du Québec. Au ras des trottoirs, des murets de béton servent de clôtures. C'est porte de garage après porte de garage et, dans la pénombre, il m'est difficile de voir de quoi ont l'air les résidences tant la végétation qui garnit ces murets de briques et de pierres est dense. Des hommes marchent de l'autre côté de la rue et, par instinct, je me colle contre Corentin qui entoure mes épaules de son bras sans hésiter.

– N'aie pas peur, je suis là.

– J'ai… euh… pas si peur…

– Menteuse, ricane-t-il en me serrant davantage contre son flanc.

– C'est qu'il fait pas mal noir…

– On arrive, dit-il, voilà, c'est ici.

– Cette petite porte verte ?

D'un index sur sa bouche, il me fait signe de me taire. Oh là là… ça me paraît bien inquiétant, cette sortie dans les méandres de Paris ! Corentin me libère de son étreinte et cogne trois, puis deux, puis quatre coups rythmés. C'est un code secret, c'est sûr ! Wow…

Quelqu'un qui me semble être un jeune homme un peu plus âgé que nous entrouvre la porte. J'aimerais au moins voir son visage, mais il s'est déplacé trop vite.

– C'est Tintin, annonce-t-il à d'autres que je ne vois pas, dans la pénombre.

– C'est toi, ça, Tintin ? que je chuchote à Corentin, non sans retenir un petit rire.

Mon ami acquiesce d'un signe de tête, puis la voix reprend.

– T'es pas seul ? Qui est-ce ?

La main de mon ami se pose sur mon épaule. Bonne question, ça… Qui suis-je, pour lui ?

— Une amie du Québec, elle ne dira rien.

Euh ?

Je ne dirai rien à quel sujet ?

De moins en moins rassurée, je tire sur la manche de Corentin.

— J'aimerais mieux retourner à la voiture… Bruno a dit qu'il resterait dans les parages. Tu peux y aller, moi, je vais rentrer… Tu peux l'appeler, s'il te plaît ?

Je croyais ne pas avoir parlé assez fort pour me faire entendre des autres, mais la même voix revient à la charge.

— Trop tard, miss blondinette. Maintenant que tu connais notre adresse, tu dois entrer ! m'ordonne l'inconnu dont je n'ai même pas encore vu le visage.

— Corentiiiin…

Ma voix doit paraître apeurée, parce qu'il pose une main sur ma joue.

— Ce sont juste mes amis. Viens, t'as pas à avoir la trouille.

— Mais, il fait noir comme chez le loup, là-dedans !

— Tu l'amènes, ta meuf, Tintin ? Tu sais que ça contrevient à nos règles ? Pas de nanas dans la bande !

Corentin sort une lampe de poche de sa veste et la pointe sur celui qui vient de parler.

– Salut, espèce de p'tit con, dit-il d'un ton amusé. Fais attention, Azraël, ma meuf, ce n'est pas n'importe qui, compris?

Azraël... c'est pas comme, genre... le chat de Gargamel?

Je suis sa « meuf » ? ? ?

– Cœur-de-Lion! Ça faisait un sacré bail. Tu nous as ramené une poule du Québec? Renard! Allume un peu la lumière qu'on puisse mater notre belle touriste de l'autre côté de l'océan!

Double euh?

– C'est ta meuf? fait une autre voix, celle-là plus nasillarde.

– Vous avez l'air d'une bande de cons mal élevés, dit mon ami. Je vous présente Marie.

Marie... tout court... ça fait plusieurs fois qu'il m'appelle comme ça. Il est le seul à le faire, d'ailleurs. Alors que mes yeux s'habituent à la pénombre, je commence à percevoir le décor qui m'entoure. Hormis Corentin et moi-même, il y a quatre adolescents. Chacun occupe l'une des chaises droites placées autour d'une table ronde. Soudain, l'un d'eux allume un plafonnier très bas juste au-dessus de la table.

Le grand châtain aux cheveux un peu trop longs, celui que je devine être le chef de la bande, surnommé Azraël, s'avance vers moi. Son visage n'est pas d'une beauté époustouflante, mais il a une prestance remarquable et des yeux bruns très expressifs. Bref, il émane de lui une assurance qui dérange. Il me rappelle un peu Samuel Desjardins, peut-être à cause de la teinte de ses cheveux qui tire sur le roux, mais en moins « joli garçon ». J'aime les gens dont la beauté émane de leur personnalité davantage que par la perfection de leurs traits, ils sont plus intéressants ! De plus, cet Azraël semble faire du sport, je le devine rien qu'à voir ses épaules ! Ouf !

— Juste Marie ? demande-t-il, les mains dans les poches. Tu connais notre cachette, nous devons savoir ton nom.

— Arrête, Azraël… intervient Corentin en venant à mon secours.

— Toi, arrête, Tintin !

Alors que je le consulte du regard, mon protecteur m'offre un sourire agacé. Son petit signe de la tête m'indique que je ferais mieux de répondre.

— Marie-Douce Brisson-Bissonnette, dis-je d'une voix cassée.

Un silence s'abat sur le petit groupe, puis des rires éclatent de toutes parts. Je ne peux pas dire que je suis surprise, mon nom doit sonner bien drôle pour eux. Je le savais que j'aurais dû insister pour partir !

— Ça suffit ! intervient Corentin. On dirait que vous n'êtes jamais sortis, bande de tarés !

Mais les gars rient encore, répétant l'un après l'autre « Brisson-Bissonnette ! Pouahahaha ! »

Tout à coup, de forts coups résonnent dans la pièce. Tout le monde sursaute. C'est le fameux Azraël qui vient de saisir ce qui ressemble à un maillet de juge et cogne sur la table de bois.

— Ça suffit ! affirme-t-il. Alors ! On n'a pas que ça à faire ! Renard, lis-nous le programme du jour.

Je suis impressionnée, ils sont un club organisé. C'est un garçon au chandail bleu, cheveux très noirs, qui se lève, carnet dans la main.

— Numéro 1 : Retirer la tête de la statue de sur eBay. On s'est fait repérer, il faut brouiller les pistes. Je me demande encore quel idiot a eu cette idée, marmonne-t-il. Numéro 2 : il faut refaire notre numéro pour Marjorie Nordon. Je veux que ce soit impeccable ! Cette meuf, c'est une bombe !

— Qui est Marjorie et c'est quoi cette histoire de statue ?

Mes questions sont sorties toutes seules et me valent cinq paires d'yeux sévères rivées sur moi.

— On n'interrompt jamais la lecture du programme du jour, m'avise Corentin (dois-je désormais l'appeler Tintin ?).

Ce disant, il s'éloigne de moi et se dirige vers un coin sombre de la pièce. Comme je n'ai aucune place où m'installer, je reste debout, figée entre Renard et Mafieux. Pas très rassurant comme surnom ! Azraël lève une main autoritaire pour interrompre la lecture de l'ordre du jour.

— Avez-vous été élevés dans une porcherie ? Trouvez une chaise à notre seule demoiselle !

— Oh, ça va, dérangez-vous pas pour moi !

Avant que j'aie pu terminer ma phrase, ils sont trois à se lever pour me donner leur siège. Serais-je donc déjà acceptée dans le groupe ?

— Sache, Marie-Douce, que nous sommes civilisés.

— Tous des enfants gâtés, m'apprend Corentin d'un ton moqueur. Ne me regardez pas comme ça, c'est la vérité. Comme nous sommes blasés, nous nous regroupons pour nous lancer des défis. Parfois, ils sont utiles… parfois, c'est douteux !

— Notre groupe s'appelle PMA pour Philan-Misanthropes Anonymes, m'informe Azraël.

Je lance un regard interrogateur à Corentin qui me fait un sourire.

— Tu vas t'habituer, me rassure-t-il.

Azraël dépose ses mains sur les appuie-bras de sa chaise. Ou devrais-je plutôt dire de son « trône ». Il prend son rôle de chef au sérieux, notre chat de Gargamel !

— Philanthropie pour les bonnes actions que nous faisons. Et misanthropie pour les moins bonnes. Si tu ne saisis pas les grands mots, tu chercheras sur Google, je n'ai pas de temps à perdre à traduire en québécois, ajoute-t-il, sarcastique. Bref, parfois, une même action de notre groupe est à la fois bonne et mauvaise. Nous appelons ça, nos défis Robin des Bois.

— Voler aux riches pour donner aux pauvres… que je murmure.

— Tu as tout compris ! dit Azraël. Mais c'est qu'elle est futée, la petite !

— J'ose espérer ! réponds-je en riant. Pourquoi allez-vous chanter la pomme à une fille ? Vous allez vous moquer d'elle en groupe ? Je ne comprends pas !

— Tss-tss, trop de curiosité, la nouvelle, objecte Azraël. Revenons à nos moutons ! La tête de la statue.

— Non mais, attends ! Ça veut dire quoi, chanter la pomme ? demande Mafieux.

J'allais répondre, mais à ma grande surprise, Azraël connaît la réponse.

— Draguer, espèce d'inculte, dit-il.

Devant l'autorité incontestée d'Azraël en ce lieu sombre, j'accepte de me taire et de garder mes questions pour moi... Pour l'instant...

Chapitre 3

Ma vie est
un trou de bouette

C'est samedi soir, début août. Constance, Samantha et moi marchons sur le boulevard Saint-Charles, pour nous rendre au parc Valois où plusieurs de nos amis se tiennent, dont Sabrina, Ève et Héloïse.

C'est un parc magnifique, bordé d'arbres immenses, au bord de la baie de Vaudreuil. La maison Valois est un endroit historique où souvent les peintres font leur vernissage (je le sais à cause de ma mère qui est une grande amatrice de peinture québécoise). Bref, il y a sur le grand terrain des tables de pique-nique où les jeunes traînent jusqu'à tard le soir. J'y allais souvent avec mon ancienne meilleure amie (ex-*BFF*!) Érica, l'été dernier. Nous nous amusions à faire croire que nous étions plus âgées, allant même jusqu'à réussir à passer pour des filles de quinze ans!

Érica est le genre de fille qui n'a peur de rien, surtout avec les gars. Son comportement ne s'est pas amélioré dans les derniers mois, ça, c'est certain. Surtout qu'Alexandrine Dumais est devenue sa meilleure amie « officielle » depuis le mois d'avril dernier. Alexandrine est convaincue d'être irrésistible et ce qui m'agace le plus, c'est qu'elle a raison de le croire. Avec ses cheveux couleur caramel, bouclés à la perfection, qui lui descendent jusqu'à sa taille et son visage de mannequin, Alex a tout pour faire tourner les têtes. C'est clair qu'Érica, qui n'est tout de même pas un laideron avec ses cheveux lisses presque noirs, ses yeux bruns et son nez minuscule, se tient avec elle pour profiter de sa popularité.

Il y a des gens dont on ne peut se débarrasser, même si on sait qu'il le faudrait pour notre propre bien-être. Ma mère appelle ça des « amis toxiques », c'est-à-dire des gens qui s'incrustent dans nos vies pour n'apporter que des problèmes et des déceptions. On a l'impression qu'au départ, ces amis charmants seront présents et intéressants... pour se rendre compte, jour après jour, qu'il y a toujours quelque chose qui cloche dans leur comportement. Que ce soit des excuses bidons pour des rendez-vous non respectés ou des brouilles pour des choses idiotes, comme décider d'exclure d'une sortie telle amie parce qu'elle n'est pas assez branchée.

Dans mon univers, Érica St-Onge est l'une de ces personnes. J'ai toutes les raisons au monde de ne plus la fréquenter (elle me *flushait* dès qu'Alexandrine avait du temps pour elle, elle me racontait des mensonges ou me cachait la vérité... et la liste pourrait s'allonger !). Depuis que j'ai reçu ce texto qu'elle croyait avoir envoyé à Alex, je croyais que notre relation était bel et bien terminée!

Erreur.

Ça commence par Constance qui me donne un coup de coude alors que nous nous approchons de notre table habituelle au parc Valois.

— Regarde qui est là!

Constance est au courant de mes mésaventures avec Érica, je lui ai expliqué la situation. Elle déteste Érica, elle aussi, un peu par solidarité avec moi. C'est donc avec une moue de dégoût qu'elle me pointe mon ancienne amie qui se dirige vers nous. Je remarque que celle-ci vient de se faire couper les cheveux. Un beau dégradé avec une frange très droite. La jalousie me pince le cœur. Zut, j'aurais dû me faire faire ce style de coupe avant elle. C'est trop joli! Mais si je le fais maintenant, j'aurai l'air de la copier!

— Pfff, t'as vu ses cheveux? C'est laid, non? s'exclame mon amie.

Je regarde Constance l'air de dire «arrête de mentir pour me faire plaisir». Elle soupire.

— OK, c'est super beau. Mais ça serait mieux sur toi, c'est juste ça que je voulais dire.

Je glisse mon bras sous le sien.

— Merci, t'es fine.

– Vous avez l'air de deux belles téteuses! marmonne Samantha derrière nous.

Je lui lance un sourire assuré.

– T'sais, Sam, c'est pas grave d'être téteuse, tant qu'on est fière de l'être.

– Très drôle! Ah non, pas encore lui!

Je me retourne pour suivre la direction de son regard. Près d'un arbre, assis en indien, se trouve Maurice Gadbois.

– Qu'est-ce qu'il fait là tout seul, le nono? demande Samantha.

– Érica est dans les parages, explique Constance.

Juste comme mon amie termine sa phrase, deux mains me couvrent les yeux. Un petit rire féminin facile à reconnaître glousse dans mes oreilles: Érica se trouve derrière moi.

– Lâche-moi, Érica!

Alors qu'elle libère mon visage, elle éclate de rire sans retenue.

– Comment t'as deviné que c'était moi?

Han??? Elle fait comme si de rien n'était? Elle est pas gênée! Grrrr!

– Je te connais, c'est tout…

Inutile de lui avouer que je l'avais aperçue quelques minutes auparavant. Je n'ai pas envie qu'elle pense que je l'observe.

— Hum… Laura, j'aimerais te parler seule à seule.

Je ravale ma salive. Ceci est notre premier face à face depuis « l'affaire du texto ». Je n'ai aucune envie de faire une scène ce soir, même si mes mains tremblent et que mon cœur bat la chamade.

Du calme, Laura ! Elle veut juste te parler.

Toutes les trois, Constance, Samantha et moi, on se dévisage. Puis, Sam (à qui je n'ai pas montré le fameux courriel d'Érica, à cause de sa grande discrétion légendaire) devient tout à coup très intéressée !

— Ah oui ? Pour faire quoi ? demande-t-elle.

— C'est pas de tes affaires, dit Érica. Tu viens, Laura ? me demande-t-elle sur un petit ton mielleux.

— J'ai rien à te dire !

Érica laisse ses bras tomber le long de son corps en soupirant. Son regard se détourne, au loin. Est-ce que ce sont des larmes que je vois poindre au coin de ses beaux yeux bruns ?

— Je comprends, murmure-t-elle en expirant une longue bouffée d'air. C'est correct. J'imagine que je dois respecter ça, après ce que j'ai fait…

ARRFFF !

– OK ! Pas besoin de me jouer ton petit numéro de la fille blessée ! Allons là-bas, près de la maison blanche.

Son visage s'illumine d'un seul coup. Là, ce sont de vraies larmes. Seigneur ! Je ne la savais pas si sensible ! *Ou si bonne actrice…*

Quelques instants plus tard, alors que Samantha et Constance sont allées marcher sur le bord du lac, Érica et moi nous retrouvons enfin seules.

– J'ai aucune excuse, commence-t-elle. Ça fait des semaines que je ne dors pas, à cause de ce que j'ai fait. Les textos entre filles, tu sais comment c'est ! Et Alexandrine avait une mauvaise influence sur moi. J'ai pris une mauvaise pente. Je suis SINCÈREMENT, VRAIMENT, INCROYABLEMENT désolée. Tu me manques TELLEMENT, Laura…

Les deux bras croisés, la bouche entrouverte pour mieux respirer, je suis sans voix. J'ai juste le goût de l'étriper. Il me semble que ça me ferait du bien de lui faire la passe de karaté que Marie-Douce m'a faite deux fois, déjà. AaaaYa ! À terre avec ton orgueil, la pas fine ! Dommage, je ne suis pas comme ma demi-sœur, je n'ai aucune technique pour exécuter ce genre de mouvement. Alors que je réfléchis à ma réponse, Érica semble très mal à l'aise. Est-ce que ce sont des sueurs froides sur son front? *Tant mieux!*

– Laura? M'as-tu écoutée?

Mon regard revient sur elle. Sans sourire, je la dévisage.

– Oui, j'ai entendu. Bref, t'as juste parlé dans mon dos avec Alexandrine Dumais pendant des semaines. Et tu t'es fait prendre. C'est plate pour toi, han?

Elle ferme les yeux et ses épaules se mettent à sautiller. Je n'en reviens pas! C'est la totale! Elle sanglote! Je connais Érica St-Onge depuis notre deuxième année et JAMAIS je ne l'ai vue pleurer. On a eu nos chicanes (il ne faut surtout pas croire que celle-ci est notre première petite guerre!), mais jamais elle n'en est venue aux larmes.

– Je suihiihhiiis désooooléhéhéée, Lauhaurahaha!

Oh wow!... J'admire le spectacle quelques instants. Ça fait du bien à mon ego meurtri, ça c'est certain. J'ai presque le goût de sortir mon iPod et de filmer la scène émouvante qui se déroule sous mes yeux! Puis, au bout d'une longue minute de pleurnichage, je n'en peux plus.

– OK! Arrête de brailler!

Je cherche dans mon sac pour trouver un mouchoir propre. Je ne peux pas la laisser comme ça. Son mascara (elle porte la marque qui grossit les cils X1000 en plus) a bavé et son nez coule comme une fontaine.

— Tiens, prends ça pour ton nez, c'est tout ce que j'ai, dis-je en lui tendant un papier brun que j'avais gardé de ma dernière visite au McDo.

— Est-ce que ça veut dire que tu me pardonnes ?

— Ça veut dire que je ne veux pas t'entendre brailler de même.

Sans attendre une réponse plus claire, elle se jette à mon cou.

— Oh, merci, Laura ! Je te PROMETS que tu ne le regretteras pas !

Ai-je donc dit que je pardonnais ? Ça en a tout l'air...

— C'est ce qu'on verra, dis-je dans ses cheveux.

Au bout de longues secondes à tenter de se refaire une beauté à l'aide du petit miroir qu'elle a sorti de sa sacoche, Érica pince les lèvres et regarde autour d'elle. Samantha et Constance reviennent vers nous, sans se presser.

Mes deux acolytes me lancent un regard interrogateur. Je leur souris, levant les sourcils en voulant dire : « Je vous expliquerai plus tard ! » Mais voilà qu'Érica prend les devants.

— On est redevenues des amies, Laura et moi, annonce-t-elle.

— C'est cool, marmonne Samantha avec sa candeur habituelle.

Il faut dire que je ne confie pas grand-chose à Sam. Elle est beaucoup trop naïve et imprévisible. Constance, par contre, plisse les yeux.

— OK…

— Je t'assure que ça va, dis-je à Constance. Pour tout de suite…

Cette dernière hausse les épaules. Je sais qu'elle n'est pas contente de ce revirement, mais la connaissant, elle va s'adapter juste pour me faire plaisir.

— Pourquoi t'arrêtes pas de regarder partout, Érica ? Attends-tu quelqu'un ?

— Ben… Maurice ne me lâche pas. Il est partout où je vais. Regardez-le, il est assis sur la pelouse depuis des heures.

— Et tu penses qu'il est là pour TE voir ? demande Samantha, défiante.

Érica hoche la tête avec énergie. Je soupire parce que je sais de source sûre — de Maurice lui-même qui n'arrête pas de me demander si j'ai vu Érica ! — qu'il est obsédé par elle.

— Pire que ça, il est là pour me suivre et m'observer! J'en peux plus, les filles! Et là, en plus, j'attends mon chum d'une minute à l'autre. Samantha, toi plus que quiconque, tu devrais m'aider…

Samantha fronce les sourcils et pointe sa propre poitrine avec surprise.

— Moi? Mais pourquoi?

Érica semble devenir émotive (encore!). Elle n'a jamais accordé son attention à Samantha! Pourquoi est-ce différent ce soir? C'est louche…

— Entre belles-sœurs… on doit s'entraider, non? dit-elle à Sam.

Belles-sœurs… belles-sœurs… ? ? ?

Qu'est-ce qu'elle veut dire par là?

Puis, je fais le lien. C'était comme si mon cerveau avait refusé, l'espace de quelques secondes, de comprendre ce qu'Érica était en train de nous annoncer.

— Tu sors avec mon frère? demande Sam.

Érica fait la petite fille gênée et rougissante, comme si elle était innocente. Elle a toujours su que Samuel ne m'était pas indifférent. Elle l'a même écrit à Alexandrine dans son fameux texto de la mort! Et là, elle fait comme si de rien n'était!

— C'est arrivé comme ça, sans le chercher, raconte-t-elle, après un petit regard rapide dans ma direction.

Puis, en bonne actrice, elle émet un profond soupir de fille émerveillée. Un peu plus, on croirait qu'il l'a demandée en mariage! Je bous… mais je me tais…

— Vous comprendrez un jour, quand le coup de foudre arrivera! Laura, est-ce que ça va? On dirait que ton front transpire?

Constance et Samantha, les sourcils arqués, scrutent mon visage.

— Heille, c'est vrai, ça, Laura! Es-tu malade ou quelque chose? demande Samantha.

— Non! Lâchez-moi! J'ai juste chaud.

— T'as l'air pas mal troublé, susurre Érica. J'espère que ma relation avec Samuel ne te dérange pas? Oh non! J'avais oublié, tu le trouvais de ton goût, pas vrai? Je suis désolée, Laura, mais on ne contrôle pas qui on aime. Ça nous tombe dessus sans avertir. Je te jure que ça n'a rien à voir avec toi!

Elle veut mourir jeune ou quoi?

— Arrête, Érica! explose Constance. Je ne te crois pas! Samuel n'a jamais parlé de toi!

Érica place une main sur sa poitrine. Tiens, de nouveaux bracelets en métal rose, c'est « laitte » *à mort* !

— C'est parce que je lui ai demandé de ne rien dire à personne. J'aurais d'ailleurs gardé le secret si c'était pas de ce chien de poche de Maurice Gadbois ! Il nous suit partout. Je vous jure que c'est pas le *fun*.

Et paf, je fais le lien. Maurice suivait Samuel comme son ombre depuis quelque temps. Ça explique…

— Tes problèmes me touchent, dis-je entre mes dents. Mais, demande donc à Alexandrine de t'aider !

Arrfff, avais-je tant besoin de mentionner ma pire ennemie ? Érica me fait un regard piteux.

— J'osais pas trop t'en parler, Laura, mais, dernièrement, je me suis rendu compte qu'Alexandrine était pas une bonne amie. T'as pas idée à quel point je m'en veux de t'avoir fait de la peine.

— Ah bon ! Je ne savais pas que t'en étais consciente ! Et en plus tu me prends comme bouche-trou ! Ben oui, han ! Alexandrine disparaît de ton cercle et *hummm*, qui pourrais-je aller voir ? LAURA la nouille qui me pardonne tout le temps tout !

Vais-je enfin me TAIRE ? Je n'ai jamais montré à Érica qu'elle me faisait souvent de la peine. J'étais bien trop orgueilleuse. Et puis, est-ce que ça lui est déjà passé par la tête de faire attention à moi ? Bien sûr que non !

– T'es pas un bouche-trou ! Je pensais que c'était toi qui ne voulais plus me parler, Laura. Je savais que t'aimais pas Alexandrine, j'étais tout le temps prise entre vous deux. Maintenant, je la déteste, si tu savais à quel point...

– Épargne-moi les détails !

– Je suis sincère, Laura. Je m'ennuie de toi, ma *BFF* de toujours...

Sortez les violons et les mouchoirs ! Érica est en grande forme ce soir pour son numéro de charme !

À ce moment, je sens des doigts qui tirent mon chandail et j'entends la voix de Constance qui essaie de me parler. Je suis si troublée que je fais un mouvement d'impatience en marmonnant un brusque : « Lâche-moi ! C'est pas le moment ! » J'entends un petit « OK, d'abord... » auquel je ne porte pas trop attention.

Alors que je ne sais plus quoi répondre à Érica, j'aperçois Samuel qui arrive au loin. Il est difficile à manquer avec sa taille de plus en plus grande à mesure que les semaines passent, ses épaules qui s'élargissent. Il ne fait qu'embellir avec le temps.

Il aime donc Érica. Ma déception me brûle l'intérieur. Mon ancienne *BFF* est désormais ma rivale pour le cœur du seul garçon qui me plaisait. J'ai perdu la bataille, c'est maintenant évident.

Elle reste là, à me fixer de son regard marron, implorant mon pardon. Du coup, ma mémoire me fait défaut, j'oublie presque pourquoi je lui en voulais. Voilà que Samuel s'approche, Maurice Gadbois sur les talons. Le garçon de mes rêves entoure de son bras bruni par le soleil les épaules d'Érica. Un baiser sur sa bouche, tout naturel, sans maladresse ni gêne. Je me retiens de ne pas vomir sur place.

— Non ! me surprends-je à crier d'une voix étranglée. Désolée, Érica, tout ça, c'est trop ! T'es pas une amie. Les amies, ça n'agit pas de même.

Elle se détache de son amoureux.

— Qu'est-ce que tu veux dire ? Aaaah, tu voulais sortir avec Samuel, c'est ça ?

Affolée par le fait qu'elle dise ça DEVANT Samuel, je suis si scandalisée que je sens une chaleur dans mon cou et sur mes joues. Je suis mortifiée !

Voilà Samuel qui s'avance vers moi : il n'a pas l'air de rire du tout.

– Est-ce que c'est vrai, ça, Laura ? demande-t-il.

– Bien sûr que non ! Je ne veux pas sortir avec toi, es-tu malade ?

À voir son regard changer en ce qui semble être de la… déception ? je regrette mes mots. Sans s'entêter, il retourne vers Érica et lui saisit la taille, l'air frustré. Elle l'enlace et l'embrasse ; il se laisse faire. C'est le spectacle le plus horrible que j'aie jamais vu de ma vie !

Maintenant, c'est cuit. Le gars ne voudra plus jamais me parler, c'est sûr. Bon, bien, voici enfin une chose de réglée ! Je viens de bousiller à jamais mes chances avec Samuel Desjardins ! BRAVO, Laura !

Dans un mouvement de panique, je me retourne pour retrouver mes nouvelles amies, Constance et Samantha, mais elles ont disparu. C'est de ma faute, je n'aurais pas dû dire à Constance de me « lâcher », j'aurais dû l'écouter même si Érica me rendait folle.

Ah zut ! je ne fais jamais rien de correct. J'espère tout de même que je ne suis pas leur nouvelle « amie toxique », à elles.

Décidément… ma vie, c'est un trou de bouette.

Chapitre 4

Le sauvetage extrême de ma vie sociale

En ce lundi pluvieux, nous visionnons la vidéo sur YouTube montrant les amis de Corentin en pleine action. Ils ont chanté la pomme à cette fille pour de vrai ! Azraël, Mafieux, Renard et l'autre, le petit blond dont je n'ai pas capté le surnom. Corentin n'a pas participé, c'est lui qui tenait la caméra. Je n'avais pas compris ça du tout lors de ma visite dans leur « caverne ». Il avait omis de me dire que ces quatre joyeux lurons étaient en réalité des chanteurs *a capella* ! La salle sombre n'est que leur lieu de répétition. Et les « Philan-Misanthropes Anonymes » c'est le nom de leur groupe !

— Jusqu'à récemment, ils s'exerçaient en secret parce qu'ils ne se sentaient pas prêts à se dévoiler. Azraël est perfectionniste, tu vois... Il est très exigeant.

Azraël... son visage me revient souvent en tête depuis notre brève rencontre. Il m'a laissée avec l'envie de le revoir. Il est captivant comme personnage.

— Je vois très bien. Mais ils sont super bons ! Leurs voix s'entremêlent comme s'ils faisaient ça depuis des années. Est-ce que tu chantes avec eux ?

Ma question le fait rire.

— Non... je chante comme une casserole. Je suis accepté parce qu'Azraël tient à avoir mon avis. C'est mon vieux pote. Les PMA seront célèbres un jour, j'en suis sûr. Le père d'Azraël leur a déjà trouvé un agent qui est l'ami de l'agent du groupe Full Power! Mais il ne faut pas ébruiter l'affaire. Le contrat n'est pas encore signé.

Wow! J'ai peut-être été en présence de futures vedettes! Bon, je vis avec une vedette en la personne de Valentin Cœur-de-Lion, mais lui, il est vieux, ça ne compte pas! Ha, ha!

— Donc, leur grande «sortie publique», c'était pour cette fameuse Marjorie? Il doit l'aimer en tabarnouche!

Ça fait trois fois que je visionne la vidéo, je suis en totale fascination. Corentin a raison, ils ont du talent. J'ai l'impression de regarder un vrai groupe de chanteurs populaires. Le quatuor entoure une fille aux cheveux noirs qui semble très embarrassée d'être le centre de cette attention. On voit très bien qu'elle ne sait pas où regarder, ses bras sont croisés sur sa poitrine, elle lève les yeux en l'air… Je crois que j'aurais agi de la même façon; la timidité, ça fait faire bien des choses. À la toute fin, Azraël l'embrasse et elle semble fondre. Je me prends à m'imaginer être à sa place, qu'il se penche vers moi et prend mes lèvres comme il l'a fait avec Marjorie. Je sais que je rêve en couleur, mais une fille a le droit à son petit moment de paradis imaginaire, non ?

— Ça fait des mois qu'Azraël en pince pour Marjorie Nordon. La fille a du sang bleu… ou presque. Disons qu'elle est une cousine éloignée de Charlotte de Monaco.

Envoûtée par toute cette histoire, je fais semblant de savoir qui est cette Charlotte. Mais encore une fois, Corentin lit dans mes pensées.

— Tu n'as aucune idée de qui est Charlotte de Monaco, n'est-ce pas, Marie ?

Décidée à ne pas paraître cruche, je lève le menton.

— J'en ai déjà entendu parler, tu sauras… Il paraît qu'elle est pas très jolie.

Corentin éclate de rire. Il sort son iPhone, pianote quelques secondes et tourne le petit écran vers moi. La photo d'une jeune femme magnifique (le mot est faible) apparaît sous mes yeux. Il pouvait bien me trouver drôle… Pas très jolie, mon œil !

— Tu la verras samedi prochain. Elle sera au banquet organisé pour la sortie du prochain film de mon père.

À cette annonce, qu'il me fait comme si de rien n'était, je ravale ma salive avec difficulté.

— Un banquet ? Avec plein de monde célèbre ?

— Ouaip. Mais t'en fais pas. Tu connaîtras déjà des gens, c'est chez Azraël, il y sera donc par la force des choses.

Pourrai-je me cacher derrière une plante ?

— Ah oui ?

Mon cœur fait un petit houla houp. *Calme-toi, Marie-Douce, Azraël n'est pas un dieu, juste un garçon qui t'impressionne !*

J'avoue, je n'ai pas été aussi entichée depuis mon engouement pour Chris Hemsworth, celui qui interprète le rôle de Thor.

— La mère d'Azraël est l'une des productrices et le père de Mafieux est réalisateur, m'explique-t-il. C'est fou comme le monde est petit…

Je dévisage Corentin parce que je viens de comprendre qu'avec lui, dans son milieu naturel, je ne suis plus sur Terre. Ceci est un univers qui m'est étranger ! Même si j'essaie de paraître « relaxe » à l'idée de croiser la crème de la crème, Corentin, comme toujours, voit à travers moi. Il dépose une main sur mon épaule.

— N'importe quelle autre fille serait folle de joie à l'idée de rencontrer autant de célébrités !

— Que je ne connais même pas !

— Tu marques un point.

Puis, alors que nous sommes installés sur le grand divan fleuri du salon, le silence gagne du terrain. Je prends le temps de regarder autour de nous. Je préfère la décoration de cette vieille maison au style champêtre de la grand-mère de Corentin à celle de la demeure trop moderne des Cœur-de-Lion à Vaudreuil-sur-le-Lac. C'est plus chaleureux, avec ces tapisseries colorées de vieux rose et de marron. On se croirait dans un film des années 40.

— C'est quoi le vrai prénom d'Azraël ?

Devant ma question spontanée, Corentin hésite quelques instants, puis sourit.

— Si je te le dis, après il faudra que je te tue…

— Allez ! Arrête de niaiser. C'est quoi son vrai nom ?

D'un geste brusque, il croise les bras sur sa poitrine.

— Pourquoi tu veux savoir ça ? Tu le kiffes, c'est ça ?

Là, il ne sourit plus. Son regard est devenu sérieux, tout à coup. C'est dans des moments comme celui-là que l'ambiguïté de notre relation me frappe en plein visage. Sommes-nous un futur couple, de simples amis, des demi-frère et demi-sœur complices ? *Quoi ?* Rien n'est clair ! Avec Corentin, je navigue sur une vague d'inconnu. Je sais qu'il tient à moi, qu'il veille sur mon bien-être et tout… mais encore ?

J'ai envie de le tester un peu, histoire de voir comment il réagira… Et puis, oui, je dois au moins me l'avouer à moi-même, Azraël m'intéresse. C'est normal, non, d'avoir un *kick* sur un garçon qu'on connaît à peine ? Surtout lorsque le garçon en question possède le charme d'un chanteur populaire !

— Et si c'était le cas ? J'aime les gens charismatiques !

Les secondes sont longues avant qu'il ne détourne son regard bleu du mien pour hausser les épaules.

— Tu peux faire ce que tu veux, tu sais. Ce n'est pas comme si…

— Comme si quoi ?

Sans me donner de réponse directe, Corentin se lève et secoue ses jambes comme s'il était pris d'un besoin urgent de bouger.

— Il s'appelle Lucien.

— Quoi ?

Corentin soupire avec impatience.

— Tu voulais connaître le vrai nom d'Azraël, non ? C'est Lucien Varnel-Smith.

Je m'apprête à ouvrir la bouche pour lui demander pourquoi il est si à pic et, ainsi, peut-être éclaircir les choses entre nous une fois pour toutes, mais la voix de ma mère dans le hall me force à m'interrompre. Les mains sur les hanches, Corentin s'apprête à sortir, mais je l'arrête.

– Laisse-moi pas toute seule avec elle, s'il te plaît…

– Ma chériiiie! fait la voix haute de ma mère en arrière-plan.

Ma quoi? Tiens, c'est nouveau, ça! Ma mère ne m'a jamais appelée comme ça. C'est louche… Puis, me retournant vers celle qui arrive, je vois qu'elle n'est pas seule. Voilà le mystère élucidé. Miranda me donne un petit surnom d'amour au bénéfice de celui qui l'accompagne. Il s'agit d'un homme vêtu d'un jeans serré et d'une chemise rouge ouverte sur une poitrine bronzée, musclée et velue. Le petit foulard bleu qu'il porte à son cou ainsi que sa gestuelle me font sourire. Ma mère s'est fait un ami artiste. Qui se ressemble s'assemble…

– Ah! Te voilà, ma belle puce! Je te présente Georges, c'est mon styliste. Il va s'occuper de toi.

Puis, sans attendre ma réponse, elle se retourne vers son compagnon dont les dents sont encore plus blanches que celles de monsieur Cœur-de-Lion.

– Voici ma charmante fille. Pensez-vous pouvoir la rendre présentable?

Présentable ? Euh… merci du compliment, chère mère !

L'inconnu déambule de sa démarche exagérée autour de moi, l'index au menton. Sa chevelure blonde tout en vagues parfaites autour de son visage le fait ressembler à une version vernie et efféminée de Brad Pitt. Déjà que ma propre mère a l'air d'une poupée de cire, voici un Ken vivant. Du coin de l'œil, je vois Corentin rire tout seul. Je lui lance un regard menaçant, l'air de dire : « Sauve-moi au lieu de rire, espèce d'abruti ! » mais il fait mine de ne pas comprendre. Ce qui est tout à fait faux. Corentin sait toujours comment je me sens… ou presque.

— Ce sera du travail, mais je crois pouvoir y arriver. Vous tenez à cette chevelure ? demande-t-il à Miranda.

HÉ ! Personne ne discute de couper mes cheveux comme si je n'étais pas là ! Le voilà qui saisit une poignée de ma tignasse qui m'arrive presque aux fesses.

— Je vous donne carte blanche ! rétorque ma mère à mon grand désespoir.

J'exécute un mouvement de recul si brusque que j'en accroche un meuble antique sur lequel se tenait un vase tout aussi vieux et dispendieux. Quelle idée, aussi, de vivre au milieu de choses qui ne devraient exister que dans un musée! Voilà que l'objet roule sur son socle et… par miracle, Corentin s'est élancé juste à temps pour l'attraper! *Fiou!*

— Fais attention, ma chérie! Ce vase est sans prix! Il appartenait à l'arrière-grand-père de Valentin!

Comment elle sait ça, elle? Peu importe! Il faut d'abord protéger mon territoire.

— Personne ne touchera à mes cheveux! dis-je, sans me soucier du vase. Personne!

— Voyons, voyons, dit Georges avec son petit accent européen. Je vais te faire un *relooking* d'enfer, personne ne te reconnaîtra. Sais-tu que la princesse Charlotte est ma cliente?

— De Monaco? que je demande, fière d'enfin pouvoir faire semblant que j'en connais un peu!

— Celle-là même, sourit-il. Impressionnée?

— Euufff…

Assis sur le divan, Corentin est mort de rire. Je vais l'étriper dès que nous serons seuls. En attendant, j'ai toujours Georges qui tourne autour de moi comme si j'étais son œuvre d'art.

— Elle est jolie, ça, vous aviez raison, Miranda. Mais il y a beeeauuucoup de travail à faire. Tu portes un soutien-gorge? me demande-t-il en me tâtant les épaules à la recherche d'une bretelle.

– Pas de vos oignons !

D'un geste automatique, mes deux bras se croisent sur ma petite poitrine. Bien sûr que je porte un soutien-gorge… OK, j'appellerais plutôt ça une camisole courte et ajustée, mais tout de même ! Il faut dire que dernièrement, mes formes ont commencé à apparaître.

Je dévisage Georges qui me scrute de haut en bas. Je vois bien qu'il ne me regarde pas comme un homme qui tente de séduire une femme. Pour lui, je suis un « projet » ! Une bûche de bois pour un sculpteur ; une toile blanche pour un peintre…

– Tut ! Tut ! Pas de ça avec moi, jeune fille ! Ta mère m'a donné pour mission de faire de toi une beauté. Tout ce qui concerne ton apparence est « de mes oignons », comme tu dis. Considère-moi comme si j'étais ton médecin. Je vais sauver ta vie en société !

Chapitre 5

Beu-bye, la menteuse !

J'ai attendu à ce lundi matin avant de texter à nouveau Constance. Je cherche à savoir pourquoi elle est partie du parc Valois sans m'avertir. Je suis inquiète, mes messages demeurent sans réponse depuis samedi soir. Je pourrais aller cogner chez elle ou juste prendre le téléphone et l'appeler, mais je suis lasse. Les petits drames de jalousie entre amies, très peu pour moi. Je suppose qu'elle s'est sentie de trop quand Érica et moi avons discuté et, comme Samantha fait toujours ce que Constance lui dicte de faire, elle l'a suivie.

Pourquoi ma vie est-elle si compliquée? Je n'ai pas couru après cette situation-là, moi! Et puis, même si ce n'était pas du fameux courriel méchant, ai-je le goût de fréquenter la fille qui sort avec Samuel Desjardins? NON. *Moins que pas pantoute.* Pourquoi fallait-il qu'entre tous les gars de l'école, elle choisisse Samuel? *Han?*

Je devrais appeler Maurice Gadbois, tiens! Nous pourrions peut-être sortir ensemble et pleurer notre peine en chœur? Dommage que je me sois promis de ne plus jamais partir en mission, parce que j'en aurais une belle à accomplir. Séparer les tourtereaux serait hyper le *fun* et je suis certaine que Constance et Samantha se feraient un plaisir de m'aider. Malheureusement, j'ai changé…

Mon iPod se fait entendre. Ça doit être un message texte. Bingo, ma messagerie clignote comme un arbre de Noël. C'est une chance que ma mère et Hugo aient abandonné la liste de règlements dès le départ de Marie-Douce. Le WiFi, c'est toute ma vie sociale actuelle ! Oh wow, j'ai même plusieurs messages ! Érica, Constance, Samantha et… Alexandrine Dumais ? Comment est-ce qu'elle a eu mon adresse de courriel, celle-là ? Bon… lequel est-ce que je lis en premier… Celui de mon ennemie, c'est bien évident !

AlexDrine
Salut Lau, c'est Alex. Faut qu'on se parle.

C'est une blague ? Elle m'appelle « Lau » maintenant ?

Laura12
Comment as-tu eu mon adresse de courriel ?

AlexDrine
Comment, tu penses ?

Laura12
Par Érica ?

AlexDrine
T'as tout compris ! On peut se voir ?

Laura12
Pas si tu me dis pas pourquoi avant.

AlexDrine
Pour ton bien. Sois au parc Valois demain à 15 h !
CIAO !

Mon cœur bat fort. Je déteste ce genre de situation. Je ne sais pas ce qui va m'arriver et l'invitation vient de la fille dont je me méfie le plus au monde ! Alexandrine Dumais, je la connais depuis la maternelle. Elle a toujours été hypocrite. Je me souviendrai toujours, nous étions en première année, nous avions, quoi… six ans ? Eh bien, Alex m'a fait boire de l'eau de trou d'eau à mon insu ! Elle avait pris une bouteille vide, l'avait plongée dans l'eau sale et m'avait dit que c'était une nouvelle sorte de jus. Saveur « arc-en-ciel » ! Les fameux arcs-en-ciel étaient produits par l'huile qui venait des voitures. J'avais bu sa super potion et j'avais été très malade par la suite. Une autre fois, elle m'avait fait croire que ma mère serait contente si nous cueillions les têtes des tulipes plantées tout autour de la maison. Je nous vois encore, avec notre seau vert. Ma mère était si découragée lorsqu'elle a vu notre trésor qu'elle avait semblé prête à pleurer. « Mes belles tulipes ! » répétait-elle. Bref, des épisodes du genre avec Alexandrine, j'en ai une liste. Alors, comment lui faire confiance ?

Mon iPod sonne encore. Alexandrine m'a perturbée à tel point que j'ai oublié que j'avais d'autres messages. Bon, voilà l'autre qui rapplique !

ÉricaLove

Salut, Laura, es-tu là?

Laura12

Pourquoi est-ce que tu m'écris, j'ai pas été assez claire hier? T'es donc ben tache...

ÉricaLove

Tu ne peux pas me détester à cause de Samuel! C'est pas de ma faute, ce qui est arrivé, c'est lui... et bon, il m'a charmée...

Laura12

Ben oui, c'est ça! Et dire devant lui que je voulais sortir avec, c'était fin, ça?

ÉricaLove
J'ai pas fait ça !

Laura12
????:o T'es plus folle que je pensais. ADIEU !!

Silence…

Laura12
Et en plus, Alex m'a écrit. Tu lui as donné mon adresse ?

ÉricaLove
Pas pantoute ! Elle est donc ben menteuse.

Laura12
Je pense savoir c'est qui, la menteuse. BYYYYE !

J'échappe un long soupir… *Flash-back !* Je vois venir la vague. Ça ne fait pas vingt-quatre heures que j'ai revu Érica que les problèmes recommencent déjà. Le fait est qu'entre les deux, l'une ment. Laquelle ? Pour ce coup-ci, je mets mon argent sur Érica !

Aaarrrggh ! Marie-Douce, reviens donc ! Au moins, avec toi, je n'avais pas cette impression de me faire manipuler !

Mon iPod turlute une nouvelle fois. Zut, j'ai oublié que Constance et Samantha m'avaient écrit aussi. Quelle sorte d'amie suis-je pour faire passer mes ennemies en premier ?

Const99
T'as retrouvé ton amie, ça veut dire que j'existe plus ?

Laura12
T'as manqué la dernière partie de notre rencontre ! Je l'ai *flushée* ! C'est une conne… Je viens de lui dire ADIEU !

Const99
Ah oui ? Tu l'as *flushée* pour toujours ?

Laura12
Oui ! Érica et moi, c'est FINI pour des millions d'années ! Étais-tu fâchée parce que j'ai parlé avec elle ?

Const99
Non... c'est juste que... tu m'avais dit qu'elle était pas fine ! Et là, elle apparaît et paf ! Tu lui donnais toute ton attention ! J'ai même cru que t'allais redevenir son amie...

Laura12
Elle a dit devant Samuel que je voulais sortir avec lui ! T'aurais fait quoi à ma place ?

Const99
Je te l'avais dit qu'elle était pas fine. Elle l'a jamais été !

En effet… Mais c'est facile pour elle, de dire ça, elle ne la connaît pas. Moi, j'ai comme une peine d'amitié. Je l'aimais, mon amie Érica. Depuis hier, je me demande pourquoi…

Chapitre 6

Froot Loops d'amour

Depuis ce matin, je n'ai plus de vie privée. Georges est entré en coup de vent dans ma chambre, déposant avec fracas ses sacs sur une de mes commodes blanches. Je n'ai pas encore ouvert un œil qu'il tape des mains au-dessus de ma tête.

— Allez hop, jeune fille ! Assez dormi ! La beauté n'attend pas !

Incapable de me lever, je recale mon visage dans mon oreiller.

— Allez-vous-en…

Hé misère ! Il tire mes couvertures !

— Hé ! J'aurais pu être toute nue !

Sa grande main brune sur sa poitrine, Georges me gratifie de son rire caricatural : « Ha ! ha ! ha ! Ho ! Ho ! Hi ! Hi ! »

— Tu n'as rien que j'aie jamais vu ! Et tu n'es pas le genre à ne pas porter de pyjama ! La preuve…

Il pointe de son long index mon pyjama rose à motifs de lapins blancs. *Ben quoi !* C'était un cadeau de Nathalie, la mère de Laura. Il se trouve que j'y suis très attachée. Juste à y penser, j'ai un pincement au cœur. Nathalie et Laura me manquent… *Allez, courage !* Plus que deux mois de cette mascarade…

Me convainquant que plus vite nous commencerons, plus vite il aura terminé, je me lève à contrecœur, frottant mes yeux jusqu'à en voir des étoiles. Mon oreiller m'appelle, mais je résiste.

– Tiens, voilà pour toi !

La porte vient de s'ouvrir de nouveau : Pauline, la cuisinière, pousse un chariot sur lequel repose un plateau garni d'une grosse cafetière et d'une assiette de croissants, entre autres.

– Je ne bois pas de café…

Georges secoue la tête avec son sourire blanc.

– Ah non ! Le café, c'est pour moi ! Toi, tu as du yaourt, un morceau de fromage blanc et des biscottes

Baaark… Je n'aime pas le yogourt ! Et quand on appelle ça du « yaourt », il me semble que ça goûte encore plus mauvais !

– Je préférerais un croissant au beurre…

Alors que j'atteins presque l'assiette convoitée, il me tape la main !

– Les croissants aussi sont pour moi ! m'annonce Georges.

– Une tartine, alors !

– Le pain est aussi pour moi…

Il saisit le morceau de pain frais et mord dedans avant d'éloigner le plateau de ma portée. Je pince les lèvres. C'est quoi, la *joke* ?

— Je déteste le yaourt, ça me lève le cœur. Mangez-le donc aussi, tant qu'à tout avoir commandé pour vous-même !

Georges ne se laisse pas démonter par ma remarque. Il éclate de rire !

— J'avais songé à cette éventualité, me dit-il en mastiquant ce qui semble être la tartine la plus succulente de la planète. Voici ta seconde et seule autre option !

Sous un plateau couvert d'une cloche argentée se trouve ce qui s'apparente à un lait frappé aux fraises. Je soupire, agacée.

— Mais, je ne comprends pas. On dirait que vous me mettez au régime ! Je suis déjà mince !

Georges éclate de rire.

— Ha ! Ho ! Ho ! Hi ! Ma petite chérie, tu as beaucoup à apprendre de notre monde. Avant une première de film, on n'est jamais trop mince ! Ton ventre doit être plat !

— Vous allez donc me faire mourir de faim jusqu'à samedi prochain ? C'est dans six jours ! Et mon ventre est déjà bien assez plat de même !

— Tsssss, tu n'y connais rien ! Tu ne mourras pas, puisque tu pourras boire des laits frappés protéinés ! On pourra même t'en faire au chocolat.

Devant ce commentaire d'une idiotie à faire peur, je lance un regard à Pauline, notre sympathique cuisinière, espérant trouver en elle une alliée. Pauline est une jolie femme bien en chair dans la quarantaine, je suis certaine qu'elle me comprend !

– On peut descendre à la cuisine ?

Ma demande semble faire plaisir à Pauline ; le sourire qu'elle me fait trahit ce qu'elle pense de Georges.

– Tu veux un bol de Froot Loops ? m'offre-t-elle d'un air complice.

C'était une de mes demandes spéciales dès mon arrivée ! Il a fallu que mon père les fasse livrer, ça n'existe plus en France ! Cher petit papa chéri, toujours prêt à faire des pieds et des mains pour me faire plaisir ! Nous en avons au moins quatre ou cinq boîtes dans le garde-manger.

– Oh oui !

À la simple mention de cette céréale pleine de colorants et de sucre, le visage de Georges se crispe.

– Il n'en est pas question ! s'exclame-t-il.

Mais il est trop tard, Pauline et moi marchons déjà vers le grand escalier, bras dessus, bras dessous.

– Je vais te donner une chocolatine, murmure-t-elle pour qu'il n'entende pas.

– Pauline, tu veux être ma nouvelle mère?

– Je t'ai entendue! s'écrie Georges qui court derrière nous.

Sans l'attendre, nous dévalons les marches.

Chapitre 7

À peur inavouée, estomac serré

Ma mère et Hugo sont en vacances. Évidemment, été oblige et Hugo étant un banlieusard accompli, il cuisine tout sur le BBQ. Du blé d'Inde en épis, du poulet, des hot-dogs, des hamburgers, du poisson... S'il le pouvait, je suis certaine qu'il y ferait cuire sa salade verte. Je l'ai d'ailleurs taquiné à ce sujet. «Tu veux mon pouding au chocolat pour le faire griller, Hugo?» Ma mère était morte de rire, non sans raison. Hugo est ma-ni-a-que de son BBQ supersonique aux multiples fonctions.

Ce midi, je ne suis pas très encline à faire des blagues et je joue dans mon assiette, incapable d'avaler une bouchée. Mon rendez-vous avec Alexandrine Dumais au parc Valois est dans deux heures. *Je capote...*

Hugo, qui n'est au courant de rien de ce qui se trame dans ma pauvre vie, reluque mon dîner.

– Tu... euh... tu vas manger ce steak?

Je repousse mon assiette en secouant la tête. Il ne se fait pas prier pour piquer dans la viande cuite à point.

– Hugo! Tu ne vois pas que la petite est perturbée? intervient ma mère.

– De quoi est-ce qu'elle peut être perturbée? C'est les vacances!

– Je ne suis pas perturbée, arrêtez!

— T'as pas touché à tes nouilles à l'ail, ni à ton T-bone, ni même à ta salade au vinaigre balsamique et miel, ta préférée!

— J'ai juste pas très faim, c'est tout…

Ma mère n'est pas dupe, elle dépose sa fourchette.

— As-tu des problèmes avec tes amis? demande-t-elle.

— Tu t'ennuies de Marie-Douce? demande Hugo.

— J'ai pas de problème et je m'ennuie pas, OK! J'ai juste pas faim!

Je fais une pause, puis je demande:

— Avez-vous de ses nouvelles?

Ma mère regarde Hugo qui croise les bras.

— Pas souvent. Elle m'a écrit un petit courriel pour me dire qu'elle aura plein de choses à nous raconter. Il paraît qu'elle va rencontrer une princesse!

— Ah ouin!

Je fais mine de trouver ça nul, mais en réalité je suis hyper-jalouse.

— Et… elle a rencontré les amis de Corentin. Des chanteurs!

— Mmmm, hummm…

Les pousses de laitues couvertes de vinaigre balsamique dansent sous ma fourchette. Là, c'est officiel, je n'ai plus faim. J'aurais adoré faire partie du voyage. Ça m'aurait permis d'éviter toutes les âneries d'Érica et d'Alexandrine. Ça m'aurait permis, à moi aussi, de rencontrer des gens fascinants. Une princesse, wow… Des chanteurs ! Re-wow !

Les deux se regardent, sourcils haussés.

– Tu sais, Laura, t'es très bien comme t'es, t'as pas besoin de te priver de manger… commence ma mère.

Je la fixe comme une grenouille devant des phares de voiture sur une route dans la nuit. Croit-elle que… Non… Ça, c'est le bout !

– Je ne suis pas anorexique ! J'ai juste pas envie de manger ! Est-ce que je peux me lever de table ?

C'est une des règles de la maison: on ne se lève pas de table comme on veut. La plupart du temps, ça ne me dérange pas trop, mais lorsqu'ils se mettent à me questionner sans me laisser partir, je veux mourir.

– J'ai fait ton dessert favori… de la tarte au sucre ! Elle est encore chaude !

Oh mon Dieu, je suis stressée. Juste à penser avaler un morceau de sucre chaud, j'ai le cœur qui lève. Ça ne me ressemble pas du tout…

– Ça va aller, j'en mangerai ce soir !

Après mon rendez-vous avec Alexandrine !

Puis, mon iPod, que j'avais laissé sur le comptoir de la cuisine, s'anime. Ça doit être elle pour voir si je serai là. Je n'ai pas dormi de la nuit juste à essayer d'imaginer ce qu'elle peut bien me vouloir !

— Ça va, dit mon beau-père au bout de plusieurs secondes, tu peux y aller.

— Merci, Hugo !

Saisissant mon petit appareil magique et précieux, je gravis les marches deux par deux pour m'enfermer dans ma chambre. Zut, ma batterie va bientôt mourir. Je n'oublie jamais de brancher mon iPod, jamais !

AlexDrine
Salut, Lau, c'est Alex. Ça va ?

Laura12
Pas mal...

AlexDrine
Je voulais juste être sûre que tu serais au rendez-vous !

Laura12
Oui.

AlexDrine
As-tu peur?

Laura12
Ben non, voyons! Pourquoi j'aurais peur? As-tu l'intention de me casser la gueule?

AlexDrine
Pourquoi je ferais ça?

Laura12
Ben là! Pourquoi tu me demandes si j'ai peur, alors?

AlexDrine
Juste une impression ! À tantôt alors !

C'est ça… À tantôt, l'empoisonneuse…

Chapitre 8

Les tu-sais-quoi

Georges est allé voir Miranda pour lui dire à quel point sa fille n'écoutait pas. Évidemment, depuis qu'il m'a *stoolée* à ma mère, celle-ci prend la peine de se lever tôt pour s'assurer que sa méchante fille (moi) obéisse à son styliste. Je n'ai jamais pris la peine de tenir tête à Miranda. De toute façon, elle ne restait jamais longtemps et ne se mêlait pas beaucoup de ma vie. Je prenais donc mon mal en patience, roulant des yeux lorsqu'elle ne regardait pas.

Cette semaine, c'est différent. Elle a décidé de me refaire à son image, et ça, il n'en est pas question ! Appelons donc ceci ma première rébellion contre ma mère !

Je cherche Corentin depuis hier, mais il semble qu'on l'ait mis à l'écart. Je capote, on dirait que je suis dans un film d'horreur bizarre.

— Corentin a dû s'absenter, m'a dit Georges, alors que je demandais à le voir, hier.

— Et Pauline ?

— En vacances ! a répondu Miranda.

Quelle coïncidence !

L'absence de Corentin signifie aussi que je n'ai plus accès à son ordinateur. Moi qui aurais tant voulu « skyper » avec mon père. Miranda a dû avoir peur que je lui dise dans quelle sorte de galère elle m'a embarquée au nom de la beauté ! Ma mère n'est pas toujours une lumière, mais elle sait tout de même très bien ce qu'elle fait. Si papa savait ce qui se trame ici cette semaine, il serait déjà dans le premier avion en partance pour Paris !

Bon, plus que trois jours à endurer tout ça. L'événement est samedi après-midi et nous sommes jeudi. À ce jour, tout va bien. Georges n'a pas encore mis la main sur mes cheveux. Pauvre lui, je le plains un peu. Je ne suis pas la meilleure toile de fond pour ses projets de beauté. Il n'a pas pu me passer à l'épilation parce que je n'ai rien à épiler. Même mes sourcils sont déjà parfaits ainsi. J'ai tout de même eu droit à un traitement facial en 10 000 étapes de masques et de crèmes. Dès que je me suis relevée de la chaise de l'esthéticienne, je me suis ruée sous la douche. Toutes ces crèmes avaient laissé une couche grasse sur ma peau. C'était dé-gueu-lasse. Quand je me suis regardée dans le miroir, j'étais plus laide qu'avant ! Ma peau était pleine de plaques rouges là où la dame avait essayé de me faire ce qu'elle appelait avec un petit air dégoûté « l'extraction des comédons ». Puisque ceux-ci étaient presque inexistants, elle s'est évertuée à en inventer ! Devait-elle donc à ce point justifier son salaire ?

Ce matin, j'aurai droit à un cours de maquillage 101. Une professionnelle est déjà en chemin, elle sera là dans une heure. Elle se fait appeler « mademoiselle Biche ». Ça promet…

En attendant, j'ai mangé du bout des lèvres des œufs durs et mon lait frappé aux fraises. Ce n'était pas si mal. J'ai décidé de choisir mes batailles ! De toute façon, je sais où sont maintenant cachés mes Froot Loops. Pauline m'a laissé un message sous mon oreiller avant de partir.

« J'ai droit à des vacances, désolée, je n'ai pas su refuser une telle offre. Je suppose que c'est parce que je t'ai laissé manger des friandises. =) Bises, Pauline

P.-S. : Les tu-sais-quoi sont dans l'armoire de gauche, juste à côté des sacs de farine. »

Cette femme-là est mon sauveur. Je garderai contact avec elle toute ma vie, c'est garanti !

Au gymnase, Georges en a eu pour son argent. Il m'a montré les machines, poids et haltères et tout le bataclan. Pendant près d'une heure, j'ai suivi à la lettre les recommandations de mon entraîneur privé. Un monsieur muscles nommé Jean-Marie. Il a une dent en or et un tatouage d'ange sur chaque biceps gonflé. Malgré tout, il est plutôt gentil. Il m'a pesée, mesurée (j'ai grandi de dix centimètres depuis deux mois ! La JOIE !) et a même mesuré mon indice de gras ! Il a sourcillé devant le résultat.

— Cette petite est toute en muscles. J'espère que tu ne lui imposes pas une diète amaigrissante ?

Georges a fait mine de recevoir un appel sur son portable pour éviter de répondre. Je venais de gagner une bataille, j'aurais pu embrasser Jean-Marie sur-le-champ ! Je m'en suis abstenue, évidemment.

C'est dans la salle de danse que Jean-Marie a pu voir de quoi j'étais capable. Il a mis de la musique et j'ai dansé même si je n'avais pas mes pointes. C'était amusant de lui en mettre plein la vue. J'étais un peu rouillée, mais ma flexibilité extrême est naturelle, j'ai toujours pu faire le grand écart, même en position debout, sans effort.

Georges est réapparu environ dix minutes plus tard dans le cadre de la porte. La surprise sur son visage valait cent piastres. J'en ai profité pour ajouter quelques entrechats. Dommage, je n'ai pas eu l'occasion de lui faire une prise de karaté ! Ce n'est pas l'envie qui m'en manquait.

— Mademoiselle Biche t'attend ! m'a-t-il annoncé.

Chapitre 9

Dans l'antre
de l'ennemie

Je n'ai même pas encore quatorze ans et je sais déjà que les histoires entre filles, c'est le phénomène le plus complexe du monde entier. Je m'en doutais, mais la certitude s'est implantée dans mon esprit quand je me suis décidée à aller voir Alexandrine Dumais au parc Valois.

J'étais assise sur une table à pique-nique, iPod entre les mains. Du coup, j'ai eu une pensée pour Corentin, mon ami qui m'a laissée tomber de belle façon. Il m'attendait souvent ici. Des fois, c'était au parc Valois, mais souvent aussi sur la butte, derrière le musée, tout près de la maison de Marie-Douce. Nous passions nos après-midi à flâner, à refaire le monde... Même s'il était rare qu'il me raconte son passé, il me parlait de Paris, de ses « potes » français. Il m'avait raconté qu'ils avaient chacun un surnom, mais n'a jamais voulu me révéler le sien.

Dire que je m'ennuie de lui ne serait pas mentir. Nos conversations me manquent. Maintenant qu'il n'est plus là, j'ai dû revenir à cet univers de fifilles. Sans le savoir, Corentin m'avait permis de m'éloigner des chicanes de filles. Puis, un jour, il a causé un drame qui, à lui seul, valait tous les petits ennuis que j'avais évités.

Bref, j'attendais Alexandrine, les doigts ancrés sur mon iPod, à ne pas pouvoir me concentrer sur mon village de Schtroumpfs qui avait grand besoin de passer à la récolte de ses petites fermettes. Je n'étais pas trop inquiète, mon maïs magique allait tenir encore quelques heures sans mon attention.

Comme je m'en doutais, elle n'était pas seule. Sa nouvelle fidèle amie l'accompagnait. Une jolie fille aux longs cheveux frisés naturels qui étaient auparavant d'un châtain clair, maintenant teints noir corbeau et raidis pour ajouter à l'effet gothique qu'elle semble vouloir atteindre. Cette fille bizarre, c'est Clémentine Bougie.

— Tu ne m'as pas avertie que c'était une *double* date. Avoir su, j'aurais demandé à Constance de m'accompagner.

Clémentine roule les yeux à la suite de ma remarque, mais Alexandrine ne se laisse pas démonter. Elle me sourit.

— Nah, Constance Desjardins n'a rien à faire ici. C'est d'elle dont je voulais te parler.

— Tu m'as fait venir jusqu'ici pour me parler de Constance ? Tu ne lui adresses même pas la parole ! Je ne vois pas en quoi t'aurais quelque chose à « discuter » à son sujet !

— En fait, je veux discuter de toi, en général. Ta vie sociale a pris une sacrée débarque depuis le coup bas de Corentin Cœur-de-Lion. Méchant capoté, ce gars-là! Je ne sais pas si c'est comme ça qu'ils agissent avec leurs amis en France, mais ouf! Ma pauvre fille, t'as mangé toute une claque!

J'expire une longue bouffée d'air. J'avais oublié qu'Alexandrine était là, le fameux jour où ma réputation est tombée dans les toilettes grâce à Corentin et à mes propres folies.

– Écoute, Laura, continue-t-elle, j'aimerais qu'on discute, toi et moi. Je sais que tu m'aimes pas ben, ben! Je pense que c'est pour de vieilles histoires et franchement, ça fait des années qu'on s'est pas parlé.

– Tu m'as presque empoisonnée…

– J'avais cinq ans! proteste-t-elle.

– Sept!

Elle me lance un regard l'air de dire « t'es ridicule, Laura St-Amour ».

– OK, tu veux quoi? Je sais que vous parliez dans mon dos, Érica et toi!

Elle sourit. Ça l'amuse que je la défie?

– Ouais… Ta supposée amie Érica était pas mal facile à influencer pour parler contre toi dans ton dos. Rappelle-toi que moi, je ne te devais rien, Laura. Nous deux, on n'a jamais été des amies.

Ouf! Je dois avouer que j'admire son style. Honnêteté brutale et sans détour.

— Alors, qu'est-ce qu'on fait ici ?

— En réalité, c'est rien de bien compliqué, dit-elle, mystérieuse.

— *Shoot !*

Elle éclate de son rire tranquille et repousse une longue mèche de ses cheveux blond cendré. Alexandrine possède ce genre de visage qui fait penser aux mannequins célèbres : yeux en amande, jolie bouche, petit nez sans défaut, la peau parfaite. En plus, elle est grande et super mince, ses jambes sont interminables… Bref, elle m'énerve. Se tenir à côté d'elle, c'est s'assurer de paraître petite et grosse même sans l'être. Et Clémentine Bougie, celle qui ne dit pas grand-chose à la gauche d'Alex, est du même format, sauf avec des cheveux noirs et trop de maquillage. Franchement, elle a l'air de ne pas pouvoir se décider entre le genre gothique déprimé et beauté inaccessible.

— T'as besoin de remonter ta réputation et… j'ai mes raisons. Tout ça pour dire que j'aimerais que tu te joignes à ma gang, qu'on réapprenne à se connaître. Je ne suis peut-être pas super gentille avec mes ennemies, mais mes amies, j'en prends grand soin. Tant qu'elles sont loyales. Je ne tournerai pas autour du pot, Laura : je t'invite à faire partie de ma gang.

Je la dévisage de longues secondes, puis je vise Clémentine du regard. Cette dernière détourne les yeux en haussant les épaules.

– C'est quoi, l'affaire, maintenant qu'Érica est *out*, il y a une place libre dans ton royaume ?

– J'avais pas vu ça comme ça, mais puisque tu le dis, ouais… c'est un peu ça.

– Je pense que ton acolyte n'est pas trop d'accord avec ta super idée !

– Ben non, c'est juste parce qu'elle ne te connaît pas.

En fait, c'est un peu faux. Clémentine n'habite pas loin de mon ancienne maison de la rue Lartigue. Quand nous étions petites, elle était très renfermée et il faut dire qu'avec ses cinq petits monstres de frères (oui, oui, j'ai bien dit CINQ, dont des triplés terribles), elle n'avait pas autant de liberté que les autres enfants. Bref, on s'est toujours connues, mais jamais fréquentées.

– Elle ne peut pas parler pour elle-même ?

Voilà Clémentine qui lève le côté de sa lèvre supérieure.

– Elle a fait vœu de silence, soupire Alexandrine.

Je cligne les yeux plusieurs fois. *Quoi ?* Je pouffe de rire. Puis quoi encore ?

— Comme les religieuses du temps de nos arrière-grands-mères ?

Alex roule les yeux.

— Ç'a bien l'air que oui.

— Tu peux bien être venue me chercher, il y a de quoi virer *crackpot* avec une folle pareille…

— Clem n'a rien à voir avec le fait que je te demande d'être mon amie. Mais tu vois que je n'abandonne pas mes amies, même dans leurs moments difficiles… ou… bizarres.

— Ah ! Parce que tu veux vraiment être mon amie ? Dois-je prendre ça comme un honneur ?

— Tu verras bien. Mais si t'arrêtes pas d'être chiante, je vais changer d'idée et retirer mon offre.

Je me lève de la table de bois, tirant sur mon short de jeans. Puis, les mains sur les hanches, je repousse quelques cailloux du bout de mes orteils.

— C'est pour te venger d'Érica, han ? Au moins, sois franche ! Est-ce que c'est parce que tu voulais sortir avec Samuel Desjardins ?

Sans avertissement, la muette aux cheveux noirs se lève aussi. Elle doit avoir chaud avec sa jupe longue et son chandail à capuchon aussi noir que sa tête, surtout à s'énerver de la sorte à force de faire de grands signes à son amie !

— Pourquoi tu ne parles pas, Clémentine ? Ça serait pas mal plus simple ! ne puis-je m'empêcher de lancer.

J'ai droit au doigt d'honneur avant de la voir s'en aller à grandes enjambées. Je regarde Alexandrine qui n'a pas bougé.

— C'est Clem qui voulait sortir avec Samuel, pas moi. Je pense que c'est en partie pour ça qu'elle ne parle plus.

— Mais pourquoi être venue me chercher ? Je ne comprends pas !

Alex hausse les épaules.

— Parce que t'es cool et que je sais que toi aussi, tu voulais Samuel. On est donc faites pour s'entendre.

Sur cette bombe, elle se lève et suit Clémentine.

— Fais pas cet air-là, tout le monde le sait ! Tu devrais te voir la face quand tu le regardes. Écris-moi ce soir, on jasera, je te raconterai tout ce que je sais !

Chapitre 10

Une biche très glamour

Elle est grande, mince, sa magnifique chevelure d'un blond cendré tombe en boucles souples sur ses épaules. Son visage est maquillé de façon sobre et avec goût. Mademoiselle Biche ne ressemble en rien à ce que j'avais imaginé (c'est-à-dire une capotée avec du bleu sur les paupières et du rouge sur les joues). On dirait plutôt une jolie maman dans un film de filles, du genre de celle qui est bonne et gentille.

Nous sommes réunis dans le boudoir. Mademoiselle Biche dépose sur la table basse un superbe miroir sur pied pour ensuite ouvrir sa valise noire qui regorge de pastilles colorées, de pinceaux et de tubes de toutes sortes. Moi qui ne me suis jamais maquillée de ma vie (en fait, j'ai essayé une fois et j'avais l'air d'une fillette qui jouait à la maman!), je suis émerveillée par tant de diversité. Dans ma chambre, j'ai un étui rose qui contient un *gloss* transparent à saveur de fraise, un mascara qui ne coule pas (et que je ne porte pas!) et c'est tout.

– Elle doit avoir l'air d'une *star*! s'entête Georges. Faites-lui gagner au moins trois ans.

Biche le regarde comme s'il était le dernier des imbéciles. *Yeeessss…* une nouvelle alliée!

– Nous allons nous adapter à la jeune fille pour qu'elle apparaisse sous son meilleur jour. C'est tout ce que nous allons faire.

— Sa mère a demandé qu'elle ressemble à la princesse Charlotte !

— Sa mère est une… pardon. J'allais dire quelque chose de mal. Ta mère est très gentille, Marie-Douce.

Je remue l'air de ma main.

— Oh ! Ça va ! Je connais ma mère. Je sais très bien comment elle est !

— Je sens que nous allons très bien nous entendre, déclare mademoiselle Biche.

— C'est quoi votre vrai prénom ? ne puis-je m'empêcher de demander.

J'ai du mal à vivre avec tous ces surnoms ! Plus personne ne vit avec son vrai nom, par ici ? Ma nouvelle alliée attend que Georges soit sorti de la pièce, puis se retourne vers moi avec un grand sourire.

— Biche est mon vrai prénom, me confie-t-elle, l'air amusé. C'est Georges qui insiste pour ajouter le « mademoiselle » devant. Il dit que ça fait plus *glamour*. Si tu veux mon avis, il m'énerve.

— Il m'énerve aussi ! Tous les jours, je me dis que ça achève. Il essaie de me changer du tout au tout. Il faut dire que c'est ma mère qui est derrière ce beau projet…

— Tu es belle telle que tu es. Ne laisse personne te laisser croire le contraire. Tout ce que nous allons faire aujourd'hui, c'est te donner quelques trucs. Même s'ils sont déjà très bien, je vais retoucher un peu tes sourcils, ça ne se verra pas, ça éclairera ton visage. Quand nous aurons terminé, tu pourras garder les échantillons que tu voudras !

Notre heure ensemble passe à la vitesse de la lumière. Biche n'est jamais venue au Québec, mais rêve de le faire. Je l'ai invitée à venir chez moi quand elle le voudra. Quand je dis « chez moi », je parle de chez mon père. Biche y sera accueillie comme une amie de la famille. Elle me parle de son métier, des gens bizarres qu'elle doit rendre beaux malgré leurs défauts impossibles à camoufler. Nous rions plus que nous discutons. Ses histoires sont très drôles. Je ne peux m'empêcher de lui demander si elle a maquillé un jour le beau Chris Hemsworth. Elle secoue la tête en rougissant. « Je pense que j'aurais eu de la difficulté à me concentrer sur ma tâche ! Ha, ha ! » me répond-elle, candide. À travers tout ce plaisir, je finis par apprendre à cacher mes rares boutons d'acné et à utiliser les bonnes teintes de fard à joue et à paupière.

— Tes lèvres sont déjà bien roses et pulpeuses, tu as raison de ne pas ajouter de couleur. Dans ton cas, c'est inutile. Un peu de *gloss*, et c'est parfait ! Et ces pommettes, toutes les femmes en seraient jalouses !

Elle tient entre ses mains un tube bleu de mascara.

— Ce mascara, c'est une petite merveille. Il n'exagérera pas la consistance de tes cils, il agrandira ton œil et la meilleure partie, sais-tu ce que c'est?

— Aucune idée!

— Il ne coulera jamais! Tu pourras l'enlever du bout des doigts avec de l'eau. Il partira en filaments et ne tachera pas ta peau, c'est garanti!

— Wow! Merci!

— Attends, je t'en donne un deuxième. Tu dois le jeter au bout de trois mois.

Elle fouille dans son bazar et en sort un autre tube. Celui-là, je le donnerai à Laura. Ce sera un des souvenirs que je lui rapporterai de Paris!

Lorsqu'elle referme sa grosse valise, j'ai toujours l'air de moi, mais en mieux. Je suis sou-la-gée! J'appréhendais beaucoup cette séance. Maintenant, place au magasinage, appelé «shopping» en bon parisien! Je sens que je vais finir avec un soutien-gorge gonflé à l'hélium… Juste une impression…

Chapitre 11

Péchés inavouables

J'ai décidé de laisser sa chance à Alexandrine. Ses arguments, mais surtout sa façon d'être calme et sûre d'elle ont fini par me convaincre. Qu'ai-je à perdre? Au moins, Alex est intéressante et c'est vrai que je n'ai rien de précis à lui reprocher depuis nos sept ans. Pour la première fois depuis plusieurs semaines de solitude aride, mes relations amicales sont vivantes, et même captivantes!

OK... j'ai un brin de déprime concernant Samuel. Voilà, c'est dit. Comment rester positive? On dirait que lui et moi, c'est voué à l'échec, et ce, toujours par ma très grande faute. Des regards volés à gauche et à droite, des conversations à couteaux tirés, ça ne fait pas une relation d'amoureux. Ça fait juste... me rendre confuse et me remplir d'illusions pour rien. Malgré tout ce qui est arrivé, il est toujours celui à qui je rêve le soir avant de m'endormir. Et là, la grosse face d'Érica arrive entre nous dans mes scénarios imaginaires (Érica n'a pas une grosse face, elle est très jolie dans la vraie vie, mais quand je pense à elle, sa face grossit, je ne sais pas pourquoi) et le rêve devient un cauchemar.

Marie-Douce aussi n'est jamais loin dans mes pensées. Quand elle est partie, c'est comme si on m'avait arraché le cœur. Il y a des jours où je regarde Dracule et que je lui en veux. Pauvre bête, ce n'est pas de sa faute s'il a été un accessoire dans toute cette histoire. Tout de même, sa réapparition dans ma vie représente un des pires moments de mon existence. Des pires moments, j'en ai maintenant cinq :

1. Quand mon père est parti.
2. Quand nous avons emménagé chez Marie-Douce.
3. Quand Corentin m'a trahie.
4. Quand Marie-Douce est partie.
5. Quand Érica m'a trahie devant Samuel.

Je n'ambitionne pas d'avoir de numéro 6 avant un bon bout de temps, mais au rythme où mes malheurs arrivent, je ne donne que quelques jours à la prochaine catastrophe pour m'exploser au visage.

J'ai aussi l'ambition de ne pas gâcher ma relation avec Constance. La fille est gentille, je tiens à ne pas perdre son amitié. Pour ce qui est de Samantha... je m'adapte, c'est tout ce que j'ai à dire sur le sujet !

Sans nouvelles de Marie-Douce ni de Corentin, à part ce que Hugo me donne au compte-gouttes (je me suis faite à l'idée, je n'en attends pas plus avant leur retour), voilà où j'en suis.

Depuis mardi, juste après ma rencontre avec Alexandrine, je passe beaucoup de temps seule avec moi-même. J'ai redécouvert la lecture (j'avais des piles de romans que je n'avais même pas ouverts) et je suis passée à travers les deux premières saisons de *Heartland* en version originale anglaise ! J'ai décidé d'apprendre l'anglais durant l'été. Mon truc est simple. Je visionne une scène, je mets sur « pause », j'essaie de répéter les phrases et j'ai Google Translate sur mon iPod pour trouver la signification des mots inconnus. Au début, c'était loooong, je devais arrêter tout le temps ! Par la suite, à ma grande surprise, j'ai pu laisser rouler les épisodes sans trop de mal. Maintenant, j'ai juste hâte de voir si Amy et Ty finiront ensemble et si Lou réussira avec sa nouvelle entreprise de location de chambres. OK, c'est un peu quétaine, mais j'adore. Une fille a droit à ses péchés mignons, non ?

Hier, juste après le dîner, Constance était à ma porte avec Samantha. Nous sommes montées dans ma chambre. Je ne leur avais pas encore montré mes murs mauve des ténèbres.

– Wowowow ! Je veux cette couleur-là dans ma chambre, s'est exclamée Samantha.

Constance m'a jeté un regard sage, l'air de dire « t'en fais pas, je ne la laisserai pas copier ta chambre ». Nous avons ri ensemble sans que Sam comprenne pourquoi.

– Mon frère et Érica étaient « encore » chez nous ! m'annonce Sam en soupirant.

– Ah oui ? Elle est fatigante ? que je demande.

Ha, ha ! J'espère que oui !

Sam roule les yeux.

– Elle fait surtout semblant de s'intéresser à ce que je fais. Heille, elle m'a même donné des conseils de nutrition ! Je lui ai dit de se mêler de ses affaires ! Pfff !

Ça, c'est le genre d'Érica ! Elle aime prodiguer ses conseils beauté à gauche et à droite, et parfois, ce n'est pas du tout pour le bien des autres. Je la soupçonne même de tenter d'enlaidir les autres filles pour éliminer la compétition. La preuve, l'an dernier, juste avant qu'on commence l'école secondaire, elle m'a suggéré de me faire couper les cheveux à la garçonne. Un tour d'oreille, en plus ! Je l'ai traitée de folle et avec raison. Elle me montrait des photos d'Anne Hathaway alors que celle-ci portait ses cheveux très courts, me répétant sans cesse que je lui ressemblerais. Je lui ai dit : « Voyons, Érica ! Anne Hathaway avait cette coupe-là pour le film *Les Misérables* dans lequel elle jouait une pauvre fille qui mourait de faim ! » Érica est restée convaincue que son idée était la meilleure…

Ben oui, j'aurais eu l'air d'un gars et je pense que ç'aurait fait son affaire.

Je ne suis pas surprise qu'elle ait voulu répandre ses bons conseils sur Samantha. Cette dernière est le parfait sujet. Premièrement, bien qu'elle ait l'air solide et, disons-le, un peu masculin sur les bords, Sam est sensible et un peu naïve. Donc, même si elle dit qu'elle n'a pas écouté les conseils d'Érica, je n'en suis pas si certaine. Le hic, c'est que Samantha est faite comme monsieur Desjardins, toute en muscles sur une forte ossature, ce qui la fait paraître plus grosse qu'elle ne l'est. Bon, elle a peut-être encore un peu de « graisse de bébé », mais elle est faite comme ça, aucun régime ne pourrait la changer. Il s'agirait surtout de lui conseiller des vêtements plus à la mode et de la convaincre de jeter aux poubelles son sacro-saint chandail rose qu'elle s'acharne à porter quand on sort la fin de semaine. Son mauve, aussi, fait sur le même modèle affreux. On dirait un sac de patates avec des manches. Et je ne parle pas de ses chouchous de coton qu'elle porte pour se faire une queue de cheval !

— Ne l'écoute pas, dis-je à Samantha. Érica fait toujours ça.

— Elle s'est mis dans la tête de changer le *look* de mon frère, t'imagine ? m'annonce Sam, outrée.

Oh là là… bien hâte de voir si le beau Samuel va se laisser faire ! Si oui, je pense que je vais « dé-tomber » en amour ! Il me décevra beaucoup…

Ai-je mentionné le mot « amour » ? Je voulais dire que j'ai un kick *sur Samuel, une petite flamme… OK, je capote raide… et plus le temps passe, pire c'est ! On dirait que depuis qu'il sort avec Érica, il est encore plus attirant. Je suis un peu obsédée, je crois… Quand je pense à lui, de la fumée blanche l'entoure… plein de mystère et… Ouille, ouille, je suis dans les nuages, là !*

– Euh… Laura, ton iPod sonne, annonce Constance.

Je l'avais entendu. Ça faisait déjà trois fois qu'il sonnait. Je l'ignore exprès. Je ne veux pas avoir à mentionner qu'Alexandrine communique souvent avec moi sur Messenger. Constance est un peu soupe au lait quand il s'agit de me partager ! Voilà, c'est raté ! Je saisis mon iPod, prête à mentir sur la provenance du message, mais la surprise me prend de court.

– C'est de Corentin !

Chapitre 12

Mignonne ou sexy ?

Si je croyais que ma mère et moi avions beaucoup magasiné depuis mon arrivée (nous avons dû faire une dizaine de boutiques dès que nous avons mis le pied à Paris, ce qui dépasse déjà de beaucoup les habitudes de mon père), eh bien, je me trompais.

– T'as rien compris ! me dit Miranda. Les premières boutiques, c'était pour que tu ne nous fasses pas trop honte avec tes guenilles ! Maintenant, on va s'y mettre sérieusement…

Merci du compliment… Ma chère mère aux propos toujours aussi délicats !

Donc, Corentin toujours introuvable (je soupçonne une autre manigance de Miranda pour m'avoir toute à elle), je suis encore seule pour faire face à Georges et à ma mère. L'un sans l'autre, c'est déjà pénible, les deux ensemble sur le même projet (moi !), c'est un cirque.

Monsieur Cœur-de-Lion a donné à ma mère une carte de crédit. Soit il n'a aucune jugeote, soit il a un énorme compte en banque. Ma relation avec le nouvel amoureux de ma mère n'est pas très haute dans mes priorités (ni dans les siennes !), alors je ne serai pas celle à le raisonner.

Nous partons donc, tous les trois, sur Paris. La mission est la suivante : me trouver une tenue pour le banquet. Celle-ci doit être assez chic pour passer inaperçue parmi les gens «importants» et assez «wow» pour être remarquée. Par qui? J'ai bien ma petite idée. Miranda caresse pour moi quelques rêves. Un petit rôle (ou un grand!) dans un film, peut-être? Elle ne le dit pas à voix haute, mais je sais qu'elle le pense. Ai-je déjà exprimé l'envie de devenir actrice? Non! Jamais!

— C'est l'été, une petite robe simple et des souliers à talons pas trop hauts seraient parfaits, non?

Georges et Miranda éclatent de rire.

— Ha! ha! ha! Ho! Ho! Hi!

Au secours! On dirait qu'ils ont été séparés à la naissance! Ma mère ne riait pas comme ça, avant de connaître Georges. Elle le vénère un peu trop…

Flanquée de mes deux passionnés de magasinage (pour ne pas dire maniaques), je pars donc à l'aventure. La journée est exténuante. Pas tant pour mon endurance physique (non, ça, ça va, je suis très en forme), mais plutôt pour mes pauvres nerfs qu'ils ont usés, tous les deux! Il est venu un moment où ils ne s'accordaient plus sur ce qui devait me convenir le mieux. Georges voulait la robe bleue avec l'encolure échancrée et Miranda optait pour la jupe rehaussée de tulle avec un bustier blanc.

— Avec le bustier, on pourra lui soulever la poitrine!

Ma nouvelle poitrine ?

– Avec cette robe, elle aura l'air plus âgé !

– Ce truc est ouvert dans le dos, elle ne pourra pas porter le soutien-gorge rembourré !

– Mais avec cette jupe, elle aura l'air d'avoir treize ans !

– Elle A treize ans !

Oooh ! Serait-ce une lueur de lucidité de la part de Miranda ? Elle se souvient de mon âge. Ça ne devrait pas être surprenant, puisqu'elle m'a portée durant neuf longs mois interminables (je le sais parce qu'elle me la souvent répété), mais venant d'elle, oui, ça l'est.

– Vous me payez pour obtenir des résultats. De nous deux, qui est le spécialiste ?

– Justement, je paye ! Et c'est MA fille !

Miranda se tait, les bras croisés. La vendeuse, une dame aux cheveux grisonnants, me fait un sourire tranquille.

– Si vous me le permettez, intervient-elle, je crois que la jeune fille devrait pouvoir vous dire ce qu'elle préfère.

Merciiiiiiiiiiii, madame la vendeuse !

– Je n'aime ni l'une ni l'autre ! Je veux la jaune de tout à l'heure !

Celle que je choisis est toute simple. Petites bretelles, ajustée à la taille, s'arrête juste au-dessus des genoux et elle monte quand je tourbillonne. J'adore…

– Excellent choix! m'applaudit la dame. Tu seras mignonne comme tout!

Hé! Hé! Je ne crois pas que le mot « mignonne » soit ce que mes compagnons avaient en tête pour moi! Malgré tout, Georges et Miranda me surprennent. Chacun refusant d'accorder un regard à l'autre, aucun ne proteste. Ma mère, l'air de grogner, finit par tendre la carte de crédit pour payer.

– Allez, leur dis-je avec un petit sourire, il reste toujours les souliers! On va où?

Chapitre 13

Un gigantesque rien !

Je suis devenue folle, je crois. Depuis le message que j'ai reçu hier de Corentin, je vis dans l'attente d'autres nouvelles qui ne viennent pas ! Il m'a écrit un long courriel qui m'a fait pleurer toutes les larmes de mon corps. Du coup, en lisant, j'en ai oublié la présence de Constance et de Samantha dans ma chambre, à tel point qu'elles se sont plongées chacune dans une bande dessinée des *Nombrils* dans l'attente que je relève les yeux de mon iPod.

Cocoleclown

Salut, Laura,

Je pense souvent à toi. Si tu savais comme je m'en veux. Je te demande pardon. Depuis que nous sommes à Paris, je revois mes anciens amis (qui le sont toujours, parce que je suis (normalement) fidèle à mes potes). Mais voilà, avec toi, ce fut différent. Je me suis laissé emporter par la colère. Je n'ai pas aimé que tu te serves de Marie-Douce pour arriver à tes fins. Je comprends tes intentions, crois-moi ! J'ai maintenant une belle-mère que même sa propre fille ne peut pas supporter, mais jamais je ne songerais à tenter de séparer nos parents. Même si Miranda est un drôle de personnage. J'ai l'impression de voir une enfant de six ans dans un rôle de parent. Je ne sais pas ce que mon père lui trouve et je ne chercherai pas à le

---

savoir ; il fait de drôles de choix depuis la mort de ma mère. Mes autres belles-mères n'étaient pas mieux que Miranda.

Là où je veux en venir, c'est que nos conversations au parc me manquent. Je m'en veux d'avoir détruit ta réputation.

J'aurais tant de choses à te dire mais je dois filer. Mon copain (il s'appelle Lucien) m'attend pour l'un de nos rendez-vous secrets. Je te réécrirai bientôt.

Corentin

Aujourd'hui, c'est samedi et Hugo vient de m'appeler une troisième fois pour me dire que mes crêpes aux fraises sont servies, mais je ne peux pas bouger, je suis l'otage de mon iPod. Je suis là, comme une vraie obsédée, à relire la lettre comme si, en regardant entre les lignes, je pouvais peut-être dénicher un indice que je n'aurais pas vu. J'ai beau retourner ça dans tous les sens, je ne trouve aucune nouvelle concernant Marie-Douce. Je m'étais dit qu'il n'avait pas eu le temps de m'en donner, qu'il m'écrirait plus tard, que j'en aurais sous peu. La matinée d'hier a passé. Sans un mot. Et aujourd'hui ? Un gros rien !

Ma première réponse à Corentin avait l'air de ceci :

> **Laura12**
> Salut, Corentin, c'est tout oublié, j'ai hâte que tu reviennes. Comment va Marie-Douce ?

Celle-ci restée sans réaction, mon deuxième texto allait comme suit :

> **Laura12**
> Allo, Corentin, j'attends de tes nouvelles. Bises, Laura

Celui-là NON PLUS n'ayant pas reçu de réplique, le troisième avait l'air de ceci :

> **Laura12**
> Corentin, j'aimerais beaucoup, BEAUCOUP avoir des nouvelles de Marie-Douce. Ne me fais pas attendre. Bises, Laura

Ce matin, toujours rien. Mon quatrième texto est plus direct :

Laura12

CORENTIN CŒUR-DE-LION, SI TU NE M'ÉCRIS
PAS DANS CINQ MINUTES, JE VAIS ME LANCER
EN BAS D'UN PONT ! BISES, LAURA

Voilà ! Maintenant, je peux descendre à la cuisine.

— Laura ! Je vais manger tes crêpes ! crie Hugo.

— Ça va, ça va ! J'arrive !

Chapitre 14

Les Froot Loops, c'est du sérieux

En somme, j'ai survécu jusqu'à ce samedi matin ensoleillé. Le fameux banquet aura lieu cet après-midi et je respire encore, bien que je doive admettre avoir songé à quelques reprises à me jeter devant un bus (j'exagère à peine). Le *shopping* de soulier fut intense, si bien que j'ai fini non pas avec une, ni deux, mais bien cinq paires de nouvelles chaussures que je ne porterai probablement chacune qu'une fois par année. Malheureusement, je n'ai pas pu gagner toutes les batailles. Je devrai donc chausser les escarpins noirs à paillettes aux talons trop hauts pour être confortables. C'était leur façon de me faire payer d'avoir choisi la jolie robe jaune toute simple.

Dernière étape ce matin… la coiffure. Voilà la phase qui m'effraie le plus. Et si le coiffeur était payé pour me couper les cheveux courts malgré mes cris d'horreur? Non. Impossible, Miranda n'irait pas jusque-là. Ou peut-être? Si j'aperçois des menottes, je m'évade en courant!

Presque à reculons, je me glisse dans le fauteuil devant le grand miroir. Je cherche des yeux qui sera mon bourreau (ou mon allié! Je fais une prière!).

Miranda, Georges et moi semblons être seuls dans le petit salon de coiffure aux murs mauve criard et magenta. La décoration *new wave* ne me rassure pas trop, même si les murs affichent plusieurs photos encadrées d'acteurs et d'actrices souriants. Je reconnais entre autres Vanessa Paradis et Audrey Tautou, pas trop mal… Dans un autre cadre, je découvre Georges et cette princesse nommée Charlotte. Il a… des ciseaux dans une main? Je viens de comprendre ce qui se passe au moment où la voix de Georges résonne à mes oreilles.

— Prête pour la transformation? demande-t-il.

Je me retourne et je le vois debout, seul à côté du fauteuil pivotant, cape grise entre les mains qui n'attend que moi. Quelques mètres plus loin, Miranda s'est installée avec une pile de catalogues de coiffure.

— Où… euh… Où est le coiffeur?

Son sourire s'élargit, il semble diabolique. C'en est du moins ma perception! Ma respiration s'accélère, j'ai un point dans le ventre. Je pense que je vais être malade. D'ailleurs, vomir ne m'a jamais semblé une aussi bonne idée. Je suis sûre que Georges déteste ça. C'est dommage, il se trouve que c'est aussi mon cas.

— Allez, n'aie pas peur, voyons! minaude-t-il, le regard cruel.

Je pense qu'il me déteste autant que moi, je le hais!

J'en ai eu la confirmation lorsqu'à peine quelques instants après que je me sois assise sur la chaise (non sans hésiter), il a coupé, prétendant ne pas l'avoir fait exprès, une épaisse mèche de mes cheveux longs à la hauteur de mon épaule gauche.

Là, pour de vrai, j'ai voulu mourir.

***

Le banquet se déroule à Neuilly-sur-Seine, chez la productrice elle-même, une certaine Jessica Varnel, qui n'est autre que la mère de Lucien Varnel-Smith, alias l'énigmatique Azraël. L'endroit est très chic et les invités, tous plus beaux les uns que les autres. Ils se tiennent tous autour d'un piano à queue sur lequel un homme aux cheveux blancs joue un air de Frank Sinatra. Ça fait très années 50, comme ambiance.

Deux serveurs se promènent, plateau en main, entre les invités. Je ne peux pas croire que je suis ici, les deux pieds chaussés de souliers Jimmy Choo, à me fondre parmi eux. Je me sens comme une espionne entrée de façon clandestine après avoir volé la robe de quelqu'un d'autre.

Mes cheveux sont désormais à la hauteur de mes épaules et, comme s'il avait essayé de se faire pardonner, Georges a fait un petit miracle. Après avoir attendu que je cesse de pleurer et de lui crier des bêtises pour avoir coupé mes cheveux sans ma permission, il a créé de la lumière parmi mes mèches déjà blondes et a fait un dégradé discret d'une main experte. OK, il m'a métamorphosée pour le mieux !

C'est bizarre comme sensation, les regards sur moi ont changé. On semble d'abord surpris pour ensuite m'octroyer un sourire approbateur. Même monsieur Cœur-de-Lion, qui, d'ordinaire, remarque à peine ma présence, a sursauté lorsqu'il m'a vue une fois vêtue de ma robe, chaussée de mes escarpins, maquillée et coiffée.

Je suis passée devant le miroir et j'ai moi-même eu du mal à me reconnaître. Maintenant, alors que je poireaute dans mon coin en faisant semblant d'adorer mon cocktail à la grenadine sans alcool, j'attends avec impatience l'arrivée de Corentin. Où est-il donc passé ? J'ai d'abord cru à une manigance de Miranda, mais plus j'y réfléchis, plus je suis certaine qu'il est chez l'un ou autre de ses « potes », à m'éviter. Depuis notre petite prise de bec concernant mon intérêt (très vague, en passant !) pour Lucien, il n'a plus été le même, allant jusqu'à disparaître du décor dès le lever du jour le lendemain. Il m'a laissée affronter seule Georges et Miranda et leur folie. Je lui en veux pour ça !

À ma grande surprise, j'aperçois Pauline, la cuisinière de monsieur Cœur-de-Lion, parmi les employés des Varnel-Smith! Elle n'était donc pas en vacances du tout! De ma démarche de femme du monde (vive l'entraînement aux pointes pour le ballet, plus rien ne me fait peur, même pas des talons de dix centimètres!), je m'approche du buffet des hors-d'œuvre qu'elle place un à un avec diligence.

– Pauline...

Elle relève la tête, l'expression au neutre. Visiblement, elle ne me reconnaît pas! Finalement, au bout de plusieurs secondes, son expression s'illumine.

– Oh mon Dieu! Marie-Douce? J'ai eu du mal à te reconnaître! Tu es magnifique!

– Merci... je vous pensais en vacances...

Elle me fait un sourire gêné.

– C'est-à-dire que... commence-t-elle, hésitante.

Elle me cache quelque chose. Impatiente, je plaque mes mains sur mes hanches, bien décidée à découvrir le pot aux roses.

– C'est-à-dire que quoi?

– Ne dis rien, d'accord? J'ai dû quitter la maison des Cœur-de-Lion.

– Quoi? Ils vous ont renvoyée à cause de moi?

— Shhh, pas si fort, fait-elle en agitant sa main. Les Froot Loops… ta mère… euh… n'a pas aimé…

Ça y est, j'ai la nausée.

— Miranda vous a mise à la porte à cause de vulgaires céréales?

— J'allais partir de toute façon. C'était ça ou suivre les Cœur-de-Lion au Québec. Il paraît qu'ils vont s'y établir pour longtemps parce qu'il a un gros contrat à la télévision québécoise… et… la mère de monsieur Cœur-de-Lion désire vendre la propriété et aller s'installer près de son autre fils à Nice.

— Monsieur Cœur-de-Lion vous a offert de venir travailler chez lui au Québec? Mais Pauline, ça serait sensationnel! Oh! Venez! Je vous en prie!

— Ce n'est pas si simple, ma belle enfant. Mais merci. Allez ouste! Mon nouveau patron me surveille.

Ce disant, elle pointe du menton celui qui doit être le père de Lucien. Un homme grand, mince avec un menton carré. Juste à lui voir l'air, on dirait un monarque. Je ris toute seule : il en est peut-être un! Depuis que je suis ici, plus rien ne me surprend!

Lorsque je me retourne vers le buffet, Pauline n'y est plus. Elle marche vers les cuisines avec un plateau vide sous le bras.

Chapitre 15

La reine des fauteuses de troubles

Alexandrine et Clémentine forment un duo, disons... inhabituel. Pourquoi est-ce qu'une fille comme Alexandrine perd son temps avec une caricature d'un membre de la famille Adams ? En plus, Clémentine Bougie n'en démord pas de son « vœu de silence » ! Alex peut bien être en train de virer barjo et me texter cent fois par jour ! Déjà que les autres membres de sa « gang », Dariane St-Cyr et Mathilde Beauchemin, sont toutes les deux parties au même camp de vacances pour l'été, elle doit être bien seule.

Cet après-midi, j'ai décidé d'aller voir Alex chez elle. Ma « nouvelle amie » habite seule avec sa mère dans un jumelé, rue Boileau.

Mon ennemie jurée se révèle une fille sensible dotée d'une oreille attentive. Qui l'eût cru ? Ça tombe bien, cette petite entente entre nous. Notre relation, au départ superficielle, s'est vite transformée en une intimité faite de confidences et de complicité.

Je lui ai parlé de mon père, de ma mère et même de Marie-Douce et de Corentin. D'Hugo aussi. Je lui ai dit à quel point j'étais déçue de déménager chez Marie-Douce, qu'au départ, je la trouvais sans intérêt et que je cherchais à partir de là au plus vite. Je lui ai parlé des fées que Marie-Douce adore tant et je lui ai confié que je commençais à la comprendre, après avoir lu quelques pages de ses livres de référence sur le sujet. Bref, j'ai pu déballer mon lot de peine et je me sens plus légère !

Clémentine habite à quelques pas, rue Lartigue, avec ses cinq frères assez turbulents merci. Je n'ose même pas imaginer comment elle fait pour avoir la paix, surtout qu'elle ne parle toujours pas ! Ayoye !... Il fallait qu'elle soit en amour par-dessus la tête avec Samuel pour faire vœu de silence. Elle n'est même pas sortie avec lui, en plus ! En tout cas, pas à ce que je sache.

J'espère pour Clémentine qu'elle a une serrure solide sur sa porte de chambre pour avoir un peu de solitude. D'ailleurs, Alex m'a raconté que les parents de Clémentine sont très inquiets à son sujet. Pas tant pour son silence (ça, ce n'est qu'une goutte dans un vase déjà plein), mais aussi parce qu'elle se cache dans le noir et qu'elle ne mange que des légumes et des patates. Elle refuse tout autre aliment ! Bref, sa vie n'est pas cool, loin de là. Ce que je croyais au départ être une petite blague de sa part semble être une condition beaucoup plus sérieuse. Alexandrine est inquiète pour son amie et je commence à comprendre pourquoi. Serait-ce une façon d'attirer l'attention dans ce zoo ? Peut-être... J'aimerais beaucoup que sa peine d'amour à cause de Samuel n'ait rien à voir avec son comportement maladif. Je me demande, dans l'éventualité où on finirait par se rapprocher Samuel et moi, si Clémentine fera autre chose d'encore pire qu'un vœu de silence ?

Mon ancienne maison est voisine de celle de Clémentine, coin Boileau et Lartigue. J'y habitais quand mes parents étaient encore ensemble, avant que mon père ne disparaisse au Moyen-Orient. J'évite le coin autant que possible, trop de souvenirs remontent à la surface lorsque je passe par là. Aujourd'hui, je fais exception. Après tous ces messages échangés, il est temps qu'on discute face à face, Alex et moi.

Ma mère avait des emplettes à faire (elle adore fouiller pendant des heures pour faire des trouvailles pas chères), elle m'a donc déposée chez Alex.

— Hé que j'aime donc pas ça, cette nouvelle relation-là, Laura ! Alexandrine Dumais est pire qu'Érica ! Tu me l'as souvent dit toi-même ! m'a sermonnée ma mère, comme nous arrivions rue Boileau.

— Elle est super fine, maintenant !

— Tu m'as dit qu'elle était la reine des fauteuses de troubles, Laura. Pas plus tard que la semaine dernière ! J'ai connu Alexandrine quand elle était petite, elle était loin d'être sage. Comment va sa mère ?

— Bien… Écoute, si jamais Alex redevient difficile, alors je te PROMETS sur la tête de papa que je vais m'en tenir loin. Ça te va comme ça ?

— Est-ce qu'elle fume ?

— NON ! C'est quoi, cette question-là ? La boucane, ça jaunit les dents. Alex est bien trop fière de son sourire Colgate pour le ruiner. Allez, bisous, elle m'attend !

Je suis descendue en vitesse avant que ma mère établisse sa liste de questions. *Prend-elle de la drogue ? A-t-elle un chum ? Etc.* C'est rare que je la fuis (elle est cool, d'habitude), mais quand elle se met à chercher des bibittes, tassez-vous !

À mon arrivée, je n'ai pas eu le temps de retirer mes souliers. Alex m'a tirée par la main vers sa chambre pour très vite verrouiller la porte derrière nous.

— Hé, on dirait bien que tu m'attendais ! dis-je en riant.

— Ma mère était sur mon dos, j'avais hâte d'avoir une excuse pour m'enfermer dans ma chambre !

— C'est drôle que t'en parles, la mienne était sur mon cas aussi !

— Je te jure que je vais devenir folle. Elle écoute toutes mes conversations. Hier, elle a lu mon journal intime! m'explique-t-elle. J'ai même dû trouver une façon d'avoir un compte de messageries qu'elle ne trouverait pas. Parce qu'elle avait lu tous mes textos jusqu'à la semaine dernière, t'imagines?

Ouf, je ne veux même pas imaginer subir ça! C'est drôle comme la vie des autres semble plus belle vue de l'extérieur. Moi qui pensais qu'Alexandrine Dumais avait TOUT dans la vie! Je me suis mis le doigt dans l'œil!

— Avais-tu écrit des affaires... secrètes?

— Assez pour que ma mère m'enferme ici toute la fin de semaine et qu'elle ne veuille plus que je voie Clémentine. Elle dit qu'elle a une mauvaise influence... Mais comment est-ce qu'elle peut avoir une mauvaise influence? La fille ne parle pas!

— Justement, c'est pas normal.

— Oh, Laura, je suis contente qu'on soit des amies, toi et moi! T'as pas idée à quel point!

Les paroles enthousiastes d'Alex me touchent. Je suis sensible à cette déclaration et son amitié prend tout à coup de la place dans ma vie. En même temps... c'est comme... trop beau pour être vrai. Dois-je me méfier d'elle? Depuis l'épisode avec Corentin et Marie-Douce, j'ai appris deux choses:

ne pas semer le trouble… mais aussi essayer de le voir venir. Avec Alex, j'ai cette drôle d'impression que tout n'est pas apparent. Elle n'a jamais été gentille… Je ne peux m'empêcher de me demander ce que ça veut dire cette volte-face.

— Oui, moi aussi, lui réponds-je avec un sourire aussi sincère que possible.

Nous sommes assises sur son lit. Sa chambre est rouge et blanche, style un peu trop moderne à mon goût. Sur son mur, il y a plein de médailles de patinage artistique. Coudonc, y a-t-il juste moi qui ne fais aucun sport ? Je commence à le croire…

— Alors, passons aux choses sérieuses ! dit-elle en tendant la main vers un paquet de cartes à jouer.

— Tu veux jouer aux cartes ?

Elle agite son index devant son visage, sourire malicieux sur les lèvres.

— Nooooon… je vais te tirer aux cartes. Je vais voir ton aveniiiiir !

Chapitre 16

Pas cool PANTOUTE !

Ils sont trois, des gars plus vieux, beaucoup trop âgés pour s'attarder à discuter avec une jeune fille de treize ans comme moi. Ils doivent en avoir au moins dix-sept, si ce n'est pas davantage. De toute évidence, je ne devrais pas être leur centre d'intérêt. Je pense que Georges en a trop fait. J'ai l'apparence d'une jeune femme! Je ne sais pas comment répondre à leurs petites pointes pleines de sous-entendus!

— Alors, la petite Québécoise, parle-nous encore avec ton bel accent, dit l'un d'eux, celui aux cheveux noirs et aux yeux sombres.

Celui-là, c'est Rocco, il est Italien. Son père œuvre dans le domaine de la chaussure et il n'approuve pas mon choix de talons hauts.

— Pour des pieds aussi jolis, il aurait fallu du beige, pas du noir à paillettes, c'est démodé.

L'autre commente mes jambes, un troisième mes bras musclés. Sérieusement, s'il y en a un qui s'avise de pointer ma poitrine, je lui mets mon poing dans la face. Ils ne savent pas qu'ils s'adressent à une ceinture brune!

Soudain, une ombre apparaît à ma droite et une main saisit mon bras. Serait-ce enfin Corentin? Je me retourne, et mon cœur fait trois tours.

— Vous connaissez son âge ? demande nul autre qu'Azraël *alias* Lucien Varnel-Smith à mes soupirants.

Il a l'air fâché. Je remercie le ciel de son mauvais caractère.

— Hé, *bambino*, raille Rocco, va jouer avec ta pelle et ton seau !

— Je suis peut-être un jeunot, mais toi, t'es un pédo ! Marie-Douce n'a que treize ans. Pervers !

Ils me regardent tous les trois avec surprise. De haut en bas, de bas en haut, incrédules.

— C'est vrai, ce qu'il dit ? demande Rocco.

Incapable de proférer un son, je hoche la tête.

— *Le mie scuse, signorina*[1]... Lucien, nous ne savions pas, elle ne nous a rien dit.

Comme s'il était de leur âge, Lucien serre la main du bel Italien.

— Salue ton *padre* pour moi, dit Rocco à Lucien. Je dois partir. *Ciao !*

Drôle de petit univers, ces gens de la haute société, tout le monde est intime. Puis, mon beau-père, celui qui ne m'adresse jamais la parole, intervient.

— Tout se passe bien ici ? demande monsieur Cœur-de-Lion.

— Oui... aucun problème.

---

1. Le mie scuse, signorina : (traduction française : mes excuses, mademoiselle).

Ma voix est enrouée comme si j'avais crié toute la soirée, ce qui n'est pas le cas. Je n'ai, en réalité, pas beaucoup parlé. Ma stratégie jusqu'à maintenant est fort simple : laisser les gens raconter leurs histoires et hocher la tête au bon moment. N'est-ce pas la meilleure façon de ne pas dire de conneries ? OK, c'est aussi une bonne manière de les laisser se méprendre sur mon âge, j'ai appris ma leçon.

— Rocco et ses potes croyaient que Marie-Douce était de leur âge, déclare Lucien à mon beau-père.

Zut ! Je ne voulais pas qu'il sache à quel point j'ai été idiote !

— Ils ont été déplacés ? demande le père de Corentin.

— Non !

— Ils étaient en pâmoison devant elle, intervient Azraël. Je suis arrivé juste à temps. Elle leur laissait croire qu'elle était prête à n'importe quoi !

— Hé ! C'est pas vrai !

J'ai beau protester, mon beau-père n'est pas dupe et Azraël n'en démord pas. Monsieur Cœur-de-Lion me lance même un regard défiant l'air de dire : « N'essaie pas de mentir en ma présence ! » Incapable d'en prendre davantage, j'explose.

— Je me fiche de ce que vous croyez ! J'ai rien fait de mal !

Le timbre de nos voix monte d'un diapason, faisant se retourner les gens autour de nous. Ça y est, je me donne en spectacle devant ce groupe qui m'intimide déjà assez comme ça ! Je vole même la vedette à Charlotte de Monaco qui vient de débarquer au bras de son amoureux, un humoriste au sourire contagieux ! Les têtes se tournent vers eux, puis vers moi ; je sais que je viens de perturber un événement important. L'entrée remarquée de la princesse ne souffrira pas longtemps de mon écart de conduite, car je secoue mes pieds pour les libérer de mes escarpins ridicules, je me penche pour les ramasser et je cours vers la sécurité du long couloir où se trouvent les toilettes.

— Marie-Douce…

Je m'arrête, au bord de la crise de nerfs, au son de la voix d'Azraël qui m'a suivie.

— Qu'est-ce que tu veux, Lucien ? Laisse-moi tranquille ! Tu m'as fait avoir l'air d'une… d'une… fille facile !

Lucien est dans la pénombre, je ne vois que la moitié de son visage, mais je perçois très bien qu'il n'a pas envie de rire.

— Hé… Sais-tu à qui tu parlais, tout à l'heure ? Aux trois fêtards les plus en vue des tabloïds parisiens. Ces mecs-là, c'est pas des anges ! T'imagines si un paparazzi vous avait surpris ensemble? Ou pire, si tu t'étais rendue dans un coin sombre avec l'un d'eux? On dirait que tu te rends pas compte de l'effet que tu fais!

– Qu'est-ce que tu veux dire?

– Arrête de faire l'innocente, c'est énervant!

Il s'approche, je recule. J'aimerais avoir le courage de ne pas m'éloigner, mais je suis une véritable poule mouillée!

– T'as quel âge, Lucien?

– Quel âge me donnes-tu?

– Au moins seize…

Il sourit, on dirait que je viens de lui faire plaisir.

– Un an de moins. C'est le rugby qui me rend baraqué. Ce n'est pas un sport de mauviettes. Tu sais ce que c'est, le rugby, Marie-Douce?

– Oui, bien sûr…

Bien sûr que non!

– C'est comme votre football, mais sans équipement protecteur et en plus violent.

– Je… hum… je savais ça.

– Tu mens mal.

– Je ne mens pas!

Il me fixe de longues secondes. Il se fiche que je mente ou non.

– T'es canon. On dirait une fée. Ce visage…

Une fée? Moi? Biche avait raison, ce mascara fait des miracles!

Puis, juste comme il dit ça, son expression change. On dirait qu'il vient de se rendre compte à quel point je suis jeune, même pour lui.

— T'es qu'un bébé, pourtant on ne dirait pas. C'est bizarre. T'es une fille pas comme les autres…

Je ravale ma salive, il se penche. Va-t-il…???

— J'espère que je ne vous dérange pas trop, fait une voix derrière nous.

La bouche de Lucien était rendue à quelques centimètres de la mienne, j'avais cessé de respirer, mon cœur battait la chamade. J'étais sur une espèce de nuage… Et PAF, la voix de Corentin s'abat sur notre bulle, la faisant éclater dans la seconde. Lucien s'est redressé d'un mouvement rapide comme l'éclair. Et moi je me retourne contre le mur, doigts sur les lèvres, comme si j'étais coupable d'une quelconque trahison.

— Tintin, Marie-Douce, je vous laisse, dit Azraël d'une politesse qui me laisse bouche bée.

C'était quoi, ça?

Les deux amis se font un signe de la tête et Lucien, les mains dans les poches, s'en retourne vers le grand salon d'où l'on peut entendre les voix assourdies des convives mêlées à la mélodie jouée au piano. Je me retourne vers mon ami qui porte, lui aussi, un de ces smokings hyper-chics. Ça fait drôle de le voir vêtu de la sorte, mais je dois avouer que ça lui va très bien.

— T'étais où ?

Ma voix est trop haute, mes mains trop crispées !

— Je… hum… j'ai passé la semaine ici.

C'est drôle, j'ai du mal à le croire.

— Ah ! Pis, je m'en fous ! Tout ce que je veux savoir, c'est pourquoi tu m'as laissée tomber ?

— Je ne t'ai pas…

— Arrête ! Tu savais que j'étais mal prise avec Georges et ma mère ! Pourquoi est-ce que t'as sacré ton camp ? C'était pas cool ! PAS COOL, pantoute !

— Shhh, baisse le ton, chuchote-t-il en me prenant le bras pour m'éloigner du salon.

— Ayoye, mes pieds !

— Ça va pas ?

— Non, ça va pas, j'ai des ampoules, ça fait mal ! *J'haïs* ça, moi, des talons hauts. *J'haïs* la sensation du maquillage sur ma peau ! Mes trous d'oreilles sont infectés parce que je ne porte jamais de boucles d'oreilles… ça pique… Et regarde ce qu'ils ont fait à ma tête ? Georges m'a scalpée !

Ce disant, j'empoigne une grosse touffe de mes cheveux blonds avec rage.

— Penses-tu que j'aurais choisi une coiffure pareille ? Je suis devenue un clone de Miranda Cœur-de-Lion !

Ma charmante mère a tenu à prendre le nom de son mari, même si aucune loi ne l'y obligeait. Un mariage de fierté, voilà ce que c'est, à mon avis !

Il me fait un sourire triste, puis son regard change lorsqu'il me scrute avec attention. Est-ce de l'émerveillement dans son regard bleu ?

— Tu... euh... C'est vrai que t'as changé... T'es méconnaissable.

— C'est bien ou non ?

— C'est super...

— Ouin, on va dire.

D'un souffle impatient, je tente de faire bouger la mèche qui encombre mon regard.

— T'étais où ? Tu m'as pas répondu !

— Si, je t'ai dit que j'étais ici... chez Lucien.

Vêtu de son smoking, il paraît plus grand que la semaine dernière. Même son visage a changé. C'est comme si nous étions tous les deux des personnes différentes de ce que nous étions pas plus tard que la semaine dernière.

Il me tend la main.

— Viens, allons faire un tour.

Chapitre 17

Alexandrine,
mi-ange, mi-démon

Oh! Intéressant! C'est sûr que ce n'est qu'un jeu, Alexandrine n'est pas voyante! Ou peut-être? Qui suis-je pour juger? OK, j'aimerais y croire... L'idée d'avoir un aperçu de mon avenir m'emballe... En tout cas, elle n'en est pas à sa première séance parce qu'elle semble avoir déjà acquis toute une technique. Elle me fait m'asseoir en indien sur le bout de son lit, face à elle qui s'installe dans la même position. Ensuite, je dois fermer les yeux et faire le vide. Hé! Ho! Elle ne s'adresse pas à la bonne fille pour ça! Faire le vide? Moi? Impossible. Mon cerveau est un lapin Energizer, les idées tournent dans mon esprit à la vitesse de la lumière.

– Mais... c'est dur, ça!

Devant moi, Alexandrine a les yeux fermés, le paquet de cartes est posé entre nous. Ses mains sont sur ses genoux, doigts pointés vers le haut. Je suis confuse, on fait du yoga ou on se dit la bonne aventure?

– Shhh, fait-elle. Fais juste ne penser à rien. Il faut que le cosmos passe à travers toi.

– Quoi? Je ne comprends rien à ton truc! T'es devenue folle ou quoi?

Elle ouvre les yeux en secouant la tête.

– T'as jamais vu comment ils font dans les séances de voyance?

— Non ! Et toi, t'es une experte ?

— Ma tante est médium, c'est elle qui m'a montré. Et elle dit que j'ai un don. Normalement, Clémentine est là pour aider à canaliser les énergies de la pièce, mais je crois que je vais m'en tirer sans elle.

Canaliser les énergies avec Clémentine ? Wow… ça doit expliquer pourquoi elle est devenue aussi bizarre…

Les yeux plissés par le doute, je saisis le paquet de cartes pour voir de quoi il s'agit. Un as de pique, une dame de cœur, un dix de trèfle…

— C'est pas des cartes de voyante, Alex ! On pourrait jouer au Trou de cul avec !

Elle m'arrache le paquet des mains et le replace avec soin sur l'édredon rouge.

— Arrête donc de chercher les bibittes. Ma tante dit que le matériel importe peu. Des cartes de Tarot ou des cartes ordinaires, ça ne change rien. On pourrait prendre des macaronis ou même lire dans les dessins des résidus d'une tasse de thé ! L'important, c'est de faire le vide et de me laisser faire mon travail !

Ah ! Parce que c'est un travail, maintenant ? Elle ne se prend pas pour un macaroni !

— Je prendrais bien un chocolat chaud alors… tu pourras lire dans les restants de sucre fondu, dis-je d'un ton moqueur.

Elle me balance une taloche sur l'épaule.

— Veux-tu ben ! Si ça ne te tente pas, on ne le fait pas, c'est tout ! Tu bloques l'énergie essentielle en faisant la niaiseuse, là !

— Est-ce que ç'a déjà fonctionné sur quelqu'un, ton truc ?

— Mets-en ! J'avais prédit à Érica qu'elle volerait le chum d'une ancienne amie !

— Elle a volé Samuel à quelqu'un ?

— Ben oui, espèce de nouille. Elle te l'a piqué sous ton nez et tu t'en es même pas rendu compte !

— C'était pas mon chum !

Elle roule les yeux comme si j'étais idiote.

— Non, tu vois, ça ne marche pas comme ça dans le monde de la voyance. Selon le cosmos, Samuel est l'amour de ta vie ! Moi, je vous avais vus ensemble. Je l'avais dit à Érica. Et qu'est-ce qu'elle a fait ? Elle est allée te le piquer !

— Comment as-tu vu mon avenir sans me tirer aux cartes !

— J'ai tiré Samuel aux cartes et j'ai vu ton visage dans ma tête.

Ohhh, pour de vrai ? ? ?

Woh, je dois me calmer. Je laisse sortir de mes poumons une grande expiration. OK… De toute façon, c'est juste pour le *fun* !

— Bon, vas-y avec ton truc ! Je fais le vide !

Ce disant, je ferme les yeux, je redresse mon dos pour me tenir très droite et je place mes mains comme elle, sur mes cuisses, doigts vers le haut collés les uns aux autres. J'ai l'air d'un maître de yoga. Je vois d'abord des couleurs, du vert, du jaune, beaucoup de noir… Je vois le visage de Samuel, puis la face d'Érica qui sourit. Je vois Marie-Douce, toute petite dans sa chambre aux fées, je vois Corentin qui tient Dracula. Je vois ma mère avec son foulard rouge sur la tête. Je vois le chandail de Duran Duran sur Marie-Douce. Je pense à Clémentine qui doit être toute seule dans son mutisme, agacée par ses petits frères. Moi, faire le vide ? C'est à ça que ça ressemble.

— Ça y est, ton esprit est clair ? demande Alex.

— Oui…

Ah ! la menteuse ! Mais si j'attends le vide, on y sera encore demain !

— Tu peux ouvrir les yeux. Coupe le paquet, s'il te plaît.

Je m'exécute, prenant quelques cartes sur le dessus pour les déposer à gauche des autres.

— Ce seul geste m'en dit beaucoup sur ta personnalité ! T'es pas comme tout le monde.

— Ah bon ? Comment ça ?

— La plupart des gens coupent en plein milieu, toi, t'as juste pris trois cartes. Aussi, tu les as déposées à gauche, alors que les autres déposent à droite. Ça signifie que tu ne prends pas les chemins les plus fréquentés. Tu vas toujours être celle qui ne fait rien comme les autres. C'est une grande qualité. Ça veut dire que tu ne suis pas la mode, tu la dictes. Les gens te suivent davantage que toi tu les suis. T'es une leader !

Même si ses mots me font très plaisir — qui n'aime pas se faire dire qu'il est original ? —, je demeure sceptique. Alexandrine me connaît depuis la maternelle, elle sait comment je suis à l'école. Ce n'est pas une surprise ! Pas de voyance dans ses dires jusqu'à maintenant !

— C'est bien, tout ça, mais on le savait déjà. Je veux connaître mon avenir !

Elle me lance un petit regard victorieux l'air de dire : « Ha, ha ! Tu crois à mon don ! »

— Ça vient, ça vient… brasse le paquet.

J'obéis sans protester, lui redonne les cartes et elle en place quatre devant elle. Elle me lance un regard ahuri.

— Sérieux, Laura, j'ai jamais vu ça de ma vie !

— Quoi ! Explique-moi ! Tu me fais peur, là !

— Ben regarde par toi-même, c'est facile de voir que le cosmos essaie de te dire quelque chose !

Ah ! Parce que le cosmos parle, maintenant ?

C'est une suite. Valet, dame, roi, as... de pique.

— Hé, ça serait bon si on jouait au poker ! Une presque flush royale ! ajoute donc une carte pour le *fun*.

— Coupe encore, avant.

Je saisis cette fois presque tout le paquet pour ne laisser que trois cartes à ramener sur le dessus.

— Brasse, m'ordonne-t-elle.

L'atmosphère dans la pièce est dense, tout à coup. Mon cœur bat la chamade. Tout ça pour un jeu ! Je brasse donc à nouveau le paquet, puis le dépose sur le lit. Elle saisit la première carte. Sans me la montrer, elle me regarde, la bouche grande ouverte.

— C'est quoi ?

Elle dépose, juste à côté de l'as... un deux de pique. Je suis déçue ! Pour faire une *straight flush royal*, ça aurait pris un dix de pique.

— Zut... Un deux. Je pensais qu'on aurait un dix.

D'un geste impatient, Alex saisit les cinq cartes et les met en éventail dans sa main pour me les mettre devant les yeux.

– On ne joue pas au poker, là, espèce de nouille ! Tu ne vois pas que t'as une suite quand même ? Le deux commence un nouveau cycle !

– Le pique, ça ne peut pas être bon, ça… J'aurais préféré une série en cœur, dis-je la gorge presque nouée.

Je dis « presque » parce que je n'ose pas m'avouer que je suis un peu inquiète, là ! Alex se berce sur elle-même, la main sur la bouche. Ses yeux en amande, d'ordinaire d'un gris doux, sont grands et presque noirs. Elle me fait peur !

– T'as pas tort… Là, c'est comme si tu venais d'avoir une période merdique et on dirait bien que le cycle recommence. Et puis, tu sais ce que l'expression « deux de pique » veut dire ?

– Un deux de pique… c'est pas un imbécile, ça ?

– Ouais, il y a, ou aura, quelqu'un qui te causera des problèmes dans ton entourage. Et si tu le laisses faire, il provoquera une nouvelle séquence de malheurs.

Et hop ! Malheur numéro 6 déjà en vue !

Chapitre 18

C'est HARRYYYYYYYYYY !

Corentin m'entraîne vers une autre pièce qui semble être une espèce de boudoir. Un écran géant est encastré dans le mur du fond et un divan blanc qui me rappelle ceux de la résidence des Cœur-de-Lion à Vaudreuil-sur-le-Lac est enterré sous une multitude de coussins colorés. Sans même réfléchir, je saisis celui strié de vert lime et de noir pour le porter à mon visage. Il me rappelle Laura.

Je compte les jours qui me séparent de mon retour à la maison. Ce que je vis ici est grandiose, mais j'ai le mal du pays. Mon père me manque, Trucker aussi. Nathalie, même chose. Et Laura… j'essaie de ne pas trop y penser. Avec la façon dont on s'est laissées, je regrette de n'avoir pas tenu tête à mon nouveau beau-père. J'aurais dû revenir sur mes pas et aller la serrer dans mes bras. Elle me déteste peut-être à l'heure qu'il est. En plus, elle aura eu l'été entier pour faire grandir sa colère envers moi. Je dois penser à autre chose. « Le moment présent, Marie-Douce ! » me rappelle une voix dans ma tête. Ne suis-je pas au beau milieu d'un événement auquel peu de gens peuvent dire avoir été conviés ?

Je me concentre donc sur ce qui m'entoure. Je dois dire que les Varnel-Smith ont une belle demeure. C'est comme un condominium, mais en France, on dit plutôt un appartement. On entend encore les voix et la musique du grand salon. Corentin est derrière moi, j'entends le clic d'une porte qui se ferme.

— La Terre appelle Marie-Douce…

— Qu'est-ce qu'on fait là, Corentin ?

— Ici, personne ne nous dérangera. Je dois te parler de quelque chose d'important.

— Je t'écoute…

Il ravale sa salive, inspire un bon coup, se frotte les mains l'une contre l'autre, puis me lance un regard si intense qu'il m'effraie un peu.

— Corentin, tu me fais peur, qu'est-ce qu'il y a ?

Il me fait signe de m'asseoir sur le fauteuil de cuir beige, ce que je fais sans hésiter. Il reste debout, les mains dans les poches. Il semble nerveux. Mais qu'est-ce qui se passe ? On dirait qu'il veut m'annoncer quelque chose de grave ! Puis, il ouvre la bouche. Sa voix n'est qu'un souffle lorsqu'il parle.

— Je t'aime, dit-il en détournant le regard.

Les secondes passent, le silence entre nous s'installe comme une tonne de briques. Je devrais respirer, mais j'oublie. Puis, mes poumons me rappellent à la raison et j'inspire une grande bouffée d'air.

— Mais je t'aime aussi… c'est pas un secret d'État… T'es mon meilleur ami…

À la douleur que je lis sur son visage, par son menton crispé et les plaques rouges qui se répandent sur ses joues et dans son cou, je sais que j'ai dit la mauvaise chose. Il me regarde comme s'il allait me secouer.

— Non, Marie, tu ne comprends pas. Je t'aime, je suis amoureux de toi, pas comme un frère, mais bien comme un mec qui ne dort plus. Regarde, mes mains tremblent! Ça ne me ressemble pas. J'ai jamais tremblé de ma vie!

Alors que ses mots pénètrent dans mon esprit, la confusion s'installe en même temps. Je l'aime aussi, c'est vrai. Corentin, c'est mon nuage blanc dans mon ciel sombre, il me protège de tout, il est beau, intelligent, gentil... Mais comment pourrais-je « sortir » avec Corentin et risquer de ruiner cette amitié si importante. Nos parents sont mariés. Je n'ai que treize ans. S'il fallait que je lui brise le cœur. Nous allons être ensemble de longues années! Il est mon demi-frère par alliance, ça ne serait pas bizarre, si nous agissions en amoureux?

J'ai beau me trouver une panoplie de raisons pour m'éloigner de lui, je dois être honnête: dans ma tête, il y a un autre visage qui me hante. Lucien m'a ébranlée. Tout en lui me fait vibrer. De son timbre de voix, à son assurance, sa prestance... OK, peut-être aussi cette vidéo où il chante comme un pro. De plus, pas plus de vingt minutes auparavant, il a failli m'embrasser. Et je sais que je l'aurais laissé faire. Ma seule hésitation était ma propre timidité, mais elle était à la veille de s'envoler, ça c'est certain !

Le pire, c'est que je sais que c'est peine perdue. Lucien Varnel-Smith est amoureux d'une certaine Marjorie aux cheveux noirs, sans compter que, dans deux petites semaines, je serai de retour au Québec où ma vie normale m'attend. Corentin sera avec moi, et c'est lui qui devrait être le plus important à mes yeux, pas Lucien !

J'ouvre la bouche pour tenter d'exprimer une pensée cohérente quand une voix masculine nous interpelle. La porte que Corentin avait fermée s'est ouverte sans que je ne m'en rende compte. Sur le seuil se tient un homme aux cheveux noirs parsemés de gris, les deux poings sur les hanches.

– Comme c'est mignon… Je pense que nous avons plusieurs choses à régler, nous aurons une conversation sérieuse dès demain. Venez, votre petit tête-à-tête est terminé !

Les mains dans les poches de ses pantalons blancs, Valentin Cœur-de-Lion s'éloigne non sans faire signe à Miranda qui se tenait pas loin derrière lui de le suivre auprès des autres convives.

Le brouhaha venant du salon m'apprend que l'atmosphère vient de basculer. Le piano s'arrête et un tum tumtum tumtum le remplace. Une voix s'élève et j'entends des paroles familières : « You're just too beautiful... »

Mais... serait-ce donc... Harry Stone de Full Power ? Nooonnn impossible qu'il soit ici !

Sous l'œil autoritaire de monsieur Cœur-de-Lion, Corentin et moi le suivons vers le salon. Une belle petite fête privée s'est entamée. Les femmes ont retiré leurs talons hauts, les hommes ont dénoué leurs nœuds papillon. Au milieu de tout ce beau monde, Harry Stone sautille sur les paroles de sa chanson. Les minutes passent et la performance se termine sur des applaudissements enthousiastes. Lucien, qui m'aperçoit, étend le bras pour saisir le mien et me tire jusqu'aux musiciens.

– *Hey, guys, this is my girlfriend !* déclare-t-il.

– Je ne suis pas ta blonde !

– Tu veux leur parler ou non ? dit-il à mon oreille.

– J'ai pas besoin d'être ta blonde pour ça.

– *She's very pretty, well done, man !* dit Harry Stone.

Je connais quelques filles qui se seraient évanouies !

— *I'm not his girlfriend, just a friend. Nice to meet you*, dis-je à Harry.

— Faites-vous de la gymnastique ? Jouez-vous au football ? Voulez-vous coucher avec moi ce soir ? me demande Harry avec son sourire charmeur.

Je le regarde, médusée. Un flash de iPhone m'aveugle. Plusieurs personnes autour de nous, incluant Lucien, Renard et Mafieux, ont arrêté de parler. J'éclate de rire. Harry vient de me faire la démonstration de tout ce qu'il est capable de dire en français !

— Euh non, non et euh… définitivement non !

Par la suite, la conversation se poursuit en anglais, parce qu'apparemment, le français, ce n'est pas son plus grand talent !

Je n'ai peut-être pas fait de grandes choses dans ma jeune vie, mais je pourrai dire que, le même soir, j'ai vu une vraie princesse et qu'un Full Power authentique m'a fait la conversation en français !

Après toutes ces émotions, quand il est venu le temps de partir, Miranda et Valentin m'ont escortée à la voiture. Corentin semblait déjà y être depuis un bout de temps puisqu'il dormait sur la banquette arrière.

Chapitre 19

*J'vais t'en faire, moi,
des mystères !*

Même si les jours de la semaine importent peu par les temps qui courent, ce matin, c'est dimanche et le dimanche, Hugo fait des crêpes aux fraises avec de la crème fouettée. Il y a quelque chose de rassurant dans sa façon de respecter ces petits rituels familiaux. Nous n'avions pas ce genre d'habitude, avec mon père. Peut-être que si nous avions eu ces moments précieux et réguliers, les choses auraient pu être différentes. Mais je fabule, ce n'était pas du tout le genre de papa. Non… lui, il avait besoin de danger pour respirer. L'obliger à respecter des rituels l'aurait tué.

Je descends donc vêtue de ma robe de chambre bleue et de mes pantoufles Hello Kitty. Mes cheveux sont en bataille et mes yeux encore collés d'un réveil difficile. J'ai mal dormi la nuit dernière. Je dois avouer que ma petite séance de voyance avec Alexandrine m'a un peu perturbée. Encore du malheur à l'horizon ? Est-ce que ce sera aujourd'hui ou dans un mois ? Nul ne le sait, m'a-t-elle répondu.

— Bonjour, ma chouette ! Tu veux un jus d'orange ?

— Humm mmm…

Ma mère me sourit en me versant un Tropicana *full* pulpe dans un grand verre.

— Bien dormi ? me demande Hugo.

Il saisit la canette de crème fouettée en aérosol avant d'en « pushpusher » tout droit dans sa bouche en riant.

— Aarrrk, t'es dégueu ! M'man, ton chum est pire qu'un ado !

Elle roule les yeux.

— Je sais… c'est pour ça que je l'aime, imagine-toi donc !

Un petit silence chargé de gêne s'installe dans la cuisine. C'est la première fois que ma mère déclare son attachement amoureux à Hugo devant moi. Jusqu'à tout récemment, elle marchait encore sur des œufs, faisait attention à ne pas me froisser avec ça. Du coup, elle se racle la gorge et change de sujet.

— Bon, tu veux une ou deux crêpes ?

— Deux, j'ai une faim de loup.

Les deux se sourient, petit bec sur les lèvres. Puis, Hugo se met à chanter de l'opéra. Ma mère et moi nous bouchons les oreilles.

Il est environ 10 h, je n'ai rien d'autre au programme que d'aller voir pour la centième fois si Corentin m'a répondu. J'ai au moins cinq minutes avant que mes crêpes soient prêtes. Je zyeute mon iPod que j'avais mis dans la poche de ma robe de chambre. Corentin m'a répondu !

— Hugo, laisse faire pour les crêpes, je n'ai plus faim ! dis-je en montant sans tarder à ma chambre.

Je gravis les marches deux par deux. Je veux être seule pour lire sa réponse. Je ferme la porte en catastrophe, mon cœur bat la chamade. *Voyons, Laura, c'est juste ton vieux pote Corentin, y a pas de quoi virer folle !*

Je m'installe sur mon lit, toujours sans regarder mon iPod. Je veux être bien installée pour lire ça. Zut, des pas dans les escaliers. Ah non, pas ma mère qui s'inquiète !

— Laura !

C'est Hugo qui est là.

— Quoi !

— Je peux entrer ?

— Donne-moi dix minutes, Hugo, OK ?

— Je veux juste savoir si t'es malade ?

— Non, pas pantoute ! C'est juste que j'ai reçu un message de mon ami !

— Vas-tu redescendre pour manger tes crêpes ?

— Non !

— Alors, je vais les manger !

Pourquoi est-ce que je ne suis pas surprise ?

— Pas de problème ! Garde-moi de la crème fouettée, s'il te plaît !

— Bonne chance pour ça ! répond-il en riant.

J'attends quelques secondes, puis j'entends le bruit de ses pas qui redescendent. Enfin, je peux ouvrir le message de Corentin.

Cocoleclown

Salut, Laura,

J'espère que tu n'es pas allée te lancer en bas d'un pont. Je suis désolé de ne pas avoir répondu avant. J'ai été assez occupé et aussi, je dois admettre que je n'avais pas la tête à écrire. Rien à voir avec toi, c'est Marie-Douce qui est en cause. Nous avons un problème et je ne sais pas comment le régler. En fait, je ne crois pas que ça se règle tout court. J'ai beaucoup de peine. Pour tout te dire, je ne sais pas si c'est le ciel qui me punit pour ce que je t'ai fait, mais ce que je vis n'est pas facile.

Marie-Douce va bien, ne t'inquiète pas pour elle. Tu ne la reconnaîtras peut-être pas à notre retour, par contre.

Je dois y aller,

Bises

C.

P.-S.: Ne panique pas si je mets du temps à te répondre.

Je relis son message une, puis quatre fois. Arrgh ! Il m'a encore fait le coup ! Il m'en dit juste assez pour me faire capoter, et pas assez pour que je sache de quoi il parle ! C'est quoi son foutu problème avec Marie-Douce ? Pourquoi il reste vague, comme ça ? Je n'ai qu'une seule envie, crier à tue-tête ! « C'est Marie-Douce qui est en cause », « Tu ne la reconnaîtras peut-être pas ! » C'est quoi ces conneries ? Elle va bien, il m'a au moins rassurée sur ce point. Mais le reste ? Qu'est-ce qui a pu changer assez pour que je ne la reconnaisse pas ? Ses cheveux ? Si c'est rien que ça, y a pas de quoi s'énerver le poil des jambes !

Corentin dit ne pas aller bien. Il a un problème qui ne se règle pas. Un trouble avec Marie-Douce. *Hummmmm…*

Puis, d'un coup sec, je secoue la tête. Il m'énerve avec ses messages mystérieux. Cette fois-ci, je mets les choses au clair !

Laura12

Cher Corentin,

Est-ce que tu me niaises ? Tes messages pleins de mystères et de mauvaises nouvelles à moitié révélées, c'est pas cool ! Après, moi, je suis là à m'en faire pour vous ! Et tu prends des jours à me rassurer ! Non, pas cool du tout !

Sais-tu que je tourne en rond dans ma chambre depuis une heure à essayer de décoder ton foutu

---

message? Hugo allait me servir des crêpes aux fraises avec de la crème fouettée en aérosol. Je répète, de la CRÈME FOUETTÉE en aérosol (si tu te souviens de moi juste un peu, tu sais à quel point j'ADORE ça). Bref, j'ai donné mes crêpes à Hugo pour monter à ma chambre et lire ta réponse. À cause de toi, il ne restera plus de fabuleuse crème fouettée, Hugo aura vidé la bonbonne! Et tout ça pour quoi? Des nouvelles sans précision qui me laissent encore une fois dans l'attente. Ai-je dit que c'était PAS COOL?

Alors là, mon cher Coco d'amour, tu vas me dire ceci: c'est QUOI le problème que tu ne peux pas régler? Je veux des DÉTAILS, des PRÉCISIONS, et, si c'est pertinent, des NOMS. Si tu ne me réponds pas dans les vingt-quatre prochaines heures, je te BANNIS de ma vie à tout jamais, COMPRIS? Moi là, les charades, *j'HAÏS* ÇA.

Soit tu me parles pour de vrai, soit tu te tais!

Bises,

L.

P.-S.: Une chance que je ne me suis pas lancée en bas d'un pont, ça t'aurait pris une éternité pour t'en rendre compte! J'aurais eu le temps de me noyer mille fois!

Voilà, c'est envoyé.

J'vais t'en faire, moi, des mystères !

Chapitre 20

Deux demi-cœurs

Le dimanche matin, je me lève avec difficulté. J'ai dormi d'un sommeil agité. J'ai vécu une si grande quantité d'émotions en l'espace de quelques heures que je n'étais pas moi-même lorsque nous avons quitté l'appartement parisien des Varnel-Smith. À tel point que, ce matin, je me pose la question suivante : ai-je rêvé tout ça ? Le presque baiser de Lucien, la déclaration d'amour de Corentin, ma conversation avec Harry Stone. Tout ça me semble irréel !

Il y a eu cet instant où Lucien s'est penché vers moi, juste avant que je suive ma mère vers la sortie.

– À dans une autre vie, a-t-il murmuré à mon oreille, alors que personne ne nous regardait.

Je suis censée comprendre quoi, moi, de cette phrase qui ne veut rien dire ? En plus, Azraël (Lucien) est plus âgé ; j'ai appris qu'il avait déjà quinze ans. Si je fais le calcul, dans une école québécoise, il commencerait son secondaire 4, alors que moi, je m'en vais en secondaire 2. Dans mon petit univers, c'est beaucoup.

Il ne peut pas deviner l'effet qu'il me fait. Sans mentionner que, pour lui, je suis une petite fille. De toute façon, il doit bien être au courant des sentiments de Corentin à mon égard. Entre « potes » on ne se pique pas les «meufs», n'est-ce pas? Je dois me l'enlever de la tête au plus vite!

C'est le premier matin où Georges et Miranda ne sont pas à ma porte avec un plateau de petit-déjeuner pas bon et «santé» à me faire ingurgiter de force. Je peux m'étirer de tout mon long sous mes couvertures, en profiter pour détailler des yeux le décor hyper-design de ma chambre temporaire. Tout est vert, jaune ou blanc en plusieurs tons. Mes draps sont vert forêt, mon couvre-lit est jaune, les murs sont vert lime, mes commodes sont blanches, mais le reste, abat-jour, rideaux, vert, vert, toujours vert. J'ai l'impression de dormir dans une jungle amazonienne version de luxe.

Puis, à court d'excuses pour éviter de réfléchir à la déclaration d'amour de Corentin, je me confirme à moi-même que chaque événement de la veille s'est bel et bien produit. Je dois cesser de tourner en rond et faire face à la musique.

Corentin est amoureux de moi et je crois qu'il est sincère. Il en tremblait! Voilà pourquoi il est parti aussi vite dans la voiture. Dormait-il à poings fermés à l'arrière de la limousine pour de vrai? Je n'en suis pas si certaine. J'ai surtout l'impression qu'il ne voulait pas avoir à faire semblant que tout allait bien. Je me mets à sa place un petit instant et je peux imaginer comment on doit se sentir lorsque celui ou celle à qui l'on ouvre grand notre cœur n'a rien à répondre ! C'est vrai, l'intervention inattendue de mon beau-père m'a sortie de l'embarras, mais près d'une minute s'était écoulée entre la déclaration de Corentin et l'arrivée de son père sur le seuil de la porte. J'aurais eu EN MASSE le temps de répondre quelque chose.

Sérieusement, je l'aime très fort. Il me rassure, il est la personne qui compte le plus dans ma vie (à part mon père, bien sûr) et ma plus grande peur, c'est de le perdre. Pire encore, de lui briser le cœur. Et le mien. Parce que c'est ce qui arrivera peu importe ma décision.

Quand j'étais invisible, c'était ennuyant, mais tout était si simple. Du coup, il me semble que j'aurais besoin de parler à une amie pour décortiquer et démêler tout ça. C'est vrai, je n'ai personne, ici, à qui confier mes problèmes. Si c'était pour tout autre sujet, il y aurait Corentin, mais hier, il a fait basculer notre relation. Nous sommes passés de meilleurs amis au monde à… Je-t'aime-et-je-ne-sais-pas-si-c'est-réciproque ! Et il n'y a rien comme l'amour pour séparer des amis, paraît-il !

Je ne peux même pas écrire à Constance parce que j'aurais besoin d'utiliser l'ordinateur de Corentin. Je n'irai tout de même pas utiliser SON ordi pour discuter de SA déclaration d'amour! Miranda a bien offert de m'acheter un iPad ou n'importe quel autre truc informatique, mais papa lui a fait promettre de ne pas le faire. Mon père est très sérieux à ce sujet, à mon grand malheur.

Si je pense à Corentin, mon cœur se réchauffe, un bien-être m'enveloppe, un sentiment de sécurité m'envahit. Si, par malheur, j'imagine la proximité de Lucien, mes mains deviennent moites, mes jambes se ramollissent et mon cœur s'emballe. Lucien Varnel-Smith ne m'inspire aucun calme. Ouille… je pense que j'ai un problème.

Il reste encore deux semaines à l'été. Un demi-mois à valser d'un côté et de l'autre, à essayer de fermer les yeux et de les éviter tous les deux. Bonne idée. Voilà ce qu'il faut que je fasse. Mais comment ?

Chapitre 21

Gang de jalouses

Il n'est pas question que je passe ma journée à vérifier mon iPod toutes les deux minutes à cause de Corentin Cœur-de-Lion ! *No way !* De toute façon, voilà que la folie recommence. J'ai Érica sur un fil de Messenger qui revient à la charge et sur une autre « convo », j'ai Alexandrine qui veut me voir cet après-midi « sans faute ». Mais avant, Samantha et Constance m'attendent pour aller manger une crème molle tout de suite après le dîner.

Avant de quitter la maison, j'y vais par ordre d'importance. Le plus facile, c'est Érica. Elle a appris par l'entremise de Samantha la nouvelle alliance entre Alexandrine et moi. *Alors là, c'est pas des farces,* Érica est FOLLE de jalousie. Elle n'arrête pas de m'envoyer des textos depuis hier soir du genre : « Écoute pas ce que te dit Alexandrine, c'est une menteuse ! » ou « C'est pas de ma faute si c'est moi que Samuel a choisie ! Vous êtes toutes des jalouses ! Aussi bien appeler votre petite gang : *Les jalouses d'Érica St-Onge !* » Comme je ne réponds pas, ses messages augmentent en intensité : « Samuel fait dire que t'es conne et même pas belle ! » Elle a failli m'avoir sur celle-là ! Mais j'ai résisté ! J'avais écrit un long texte de bêtises que j'ai fini par effacer.

Il faut que je tienne bon. Le traitement du silence est le plus efficace pour la faire capoter.

J'espère que c'est faux que Samuel a dit que j'étais conne et même pas belle…

Samantha espionne d'ailleurs le petit couple de l'année (c'est comme ça qu'Alexandrine et moi les avons surnommés) dès qu'ils mettent le pied chez elle.

— Elle arrête pas de dire à Samuel que toutes les filles sont jalouses d'elle à cause de lui ! Mon frère l'écoute d'une oreille alors qu'il joue au Xbox avec Évance et Fabrice. Elle est là, assise entre mon frère et nos cousins à lui flatter les cheveux. Il s'occupe même pas d'elle ! me raconte-t-elle, alors que nous marchons vers la crémerie.

— Mais il continue de sortir avec elle quand même, dis-je pour en savoir plus.

— Honnêtement, je pense qu'il sait que ça serait plus de troubles de la laisser tomber que de juste l'endurer, me répond Sam.

— Ouch, si Samuel la laisse tomber, il a pas fini de l'avoir dans les pattes. Érica St-Onge ne se laisse pas « dumper » !

— Est-ce qu'on peut parler d'autre chose ? demande Constance en roulant les yeux. Érica est votre seul sujet de conversation depuis vendredi ! On dirait que rien d'autre ne compte ! Je m'en contrefiche, moi, d'Érica! Si elle est heureuse avec Samuel, tant mieux!

Samantha et moi répondons en chœur.

— NON! Pas « tant mieux »!

Constance soupire et tente de changer de sujet.

— Avez-vous acheté vos nouveaux vêtements pour l'école?

— Pfff, quels nouveaux vêtements? Les chandails de la Cité? Depuis qu'on a des uniformes, au diable le *trip* des nouveaux vêtements pour septembre! dis-je, amère.

— Il reste les souliers, les pantalons…

— Les bas et les bobettes, tant qu'à y être?

Samantha et moi éclatons de rire en même temps. Constance lève les mains au ciel, découragée.

— Ah pis, laissez donc faire!

C'est bien la première fois que Samantha Desjardins et moi avons un instant de complicité aussi bien accordé. Du coup, je la perçois autrement, cette grande rousse à part des autres. Samantha est peut-être naïve sur les bords, et même énervante, mais elle fait désormais partie de mon quotidien. Tranquillement, elle a pris sa place dans ma vie et la perdre créerait un vide. Marie-Douce n'en reviendra pas lorsqu'elle rentrera à la maison.

Marie-Douce… Zut. J'espère qu'elle reviendra vivre avec nous et pas chez sa mère à moitié folle. Les questions à son sujet tourbillonnent dans ma tête depuis le dernier message de Corentin que j'ai reçu ce matin. Il dit qu'elle a beaucoup changé. En quoi, comment et à quel point ? Il a jusqu'à demain matin vers 10 h pour me répondre. Ça veut dire qu'il lui reste environ… disons… vingt heures pour le faire, sans quoi je le renie à jamais. Seigneur, j'espère qu'il ne va pas m'obliger à mettre ma menace à exécution… Justement, j'ai hâte de revenir à la maison pour avoir accès au WiFi et prendre mes messages…

Maintenant que nos cornets sont terminés, je dois trouver une ruse pour m'éclipser. Alexandrine m'attend… *seule*. J'ai du *fun* avec elle, nous avons notre petit univers qui ne se prête pas à la présence de Constance, de Samantha ni même de Clémentine. Comment leur faire comprendre ça sans qu'elles me boudent pendant des jours ? Je devrais dire que j'ai des corvées à faire à la maison. Ensuite, je n'aurai qu'à prendre mon vélo et à pédaler jusque chez Alexandrine. C'est une distance de deux kilomètres, je serai là en un rien de temps. Ni vu ni connu.

Alex est pleine d'énergie, de caractère et d'idées nouvelles. Avec elle, j'ai l'impression de découvrir un tout nouveau monde. Elle m'a promis de faire la lecture de mon destin dans les feuilles de thé et m'a aussi parlé de vaudou. *Alors là !* Elle a toute mon attention ! Elle m'a annoncé, toute fière, qu'elle avait déniché chez sa tante tout ce qu'il fallait pour fabriquer nos propres poupées (celle qui tire aux cartes s'adonne à être une couturière professionnelle). Pas besoin de se demander « qui » on va fabriquer pour lui épingler des punaises de plastique dans le dos ! L'ennemie numéro 1 de toutes…

Chapitre 22

Minouchage interdit

J'ai fini par sortir de mes couvertures vert et jaune et je me suis rendue à la cuisine. Sans Pauline qui chantonne en brassant sa popote, c'est un endroit triste. Je me demande si elle reviendra, puis je me rassure en songeant qu'elle est chez les Varnel-Smith, désormais, et qu'au moins, elle n'a pas tout à fait disparu de la carte. Il doit être déjà 10 h lorsque la porte s'ouvre sur Miranda. Elle est vêtue d'une robe de chambre blanche en ratine ; on dirait qu'elle se croit à l'hôtel avec ses pantoufles assorties. Elle n'a pas ouvert la bouche qu'elle m'agace déjà.

– Ah ! Te voilà, toi !

Rapidement, je dépose mon bol que je viens de vider de mes dernières Froot Loops dans l'évier.

– J'ai terminé de manger ! J'allais m'habiller ! Byyyyeee !

Sa petite main blanche se dépose avec autorité sur mon épaule. Je rêve où je suis maintenant plus grande qu'elle ? OK, elle n'est pas difficile à battre côté taille, mais tout de même, je prends chaque petite victoire au sérieux.

– On doit discuter ! Assieds-toi.

– Miranda...

– À partir de maintenant, c'est « maman », pas Miranda.

N'importe quoi !

— T'as jamais voulu que je t'appelle maman !

— J'ai décidé de changer, affirme-t-elle. Y a que les fous qui ne changent pas d'idée, n'est-ce pas ?

— Si tu le dis… Mais pourquoi veux-tu que je change comment je t'appelle ?

— Parce que j'ai décidé que notre relation n'était pas au point. Et… je consulte un coach de vie, si tu veux tout savoir. C'est lui qui m'a suggéré ça.

Oh non !… Pas une autre personne qui dictera à ma mère ce qu'elle doit faire ! J'espère que ce coach de vie ne s'appelle pas Georges… Je n'ose pas lui poser la question. J'en aurais des frissons dans le dos.

— Miranda, tu ne peux pas me demander de t'appeler maman du jour au lendemain. Ça ne marche pas comme ça. Il aurait fallu y penser quand j'avais deux ans !

— Essaie, au moins. Mais ce n'est pas de ça que je voulais te parler.

— De quoi voulais-tu me parler ? dis-je d'une voix traînante.

— Tu ne peux pas sortir avec Corentin ! s'exclame-t-elle sans autre préambule.

Les rumeurs vont vite !

— Ça, Miranda, c'est pas de tes affaires.

Alors que je marche d'un pas assuré vers la porte, elle me poursuit, ses boucles blondes virevoltant autour de ses épaules. Seigneur! Ça me fait penser que Georges m'a fait la même coiffure que ma mère. Même longueur, même couleur, même tout, tout, tout. Il ne me manque que son rouge à lèvres vermeil!

— Tout ce que tu fais se reflète sur moi et Valentin! Il tient à sa réputation! Nous devons être une famille modèle, normale... Pas de minouchage entre frère et sœur!

— Corentin, c'est pas mon frère! Techniquement, c'est un pur étranger!

— Et techniquement, il est ton demi-frère par alliance!

— Alors, divorce! Ça va résoudre le problème!

À force de marcher en nous criant à la tête, nous sommes arrivées au salon où Corentin est assis avec son père. Les deux se lèvent d'un même mouvement et nous nous arrêtons net. Je sens que cette petite réunion familiale improvisée sera de toute beauté.

— Marie-Douce, assieds-toi, s'il te plaît, m'ordonne mon beau-père.

Dans un geste implorant, Miranda serre ma main pour que j'obéisse sans protester. Autant en finir au plus vite! Je m'assieds donc sur le bout des fesses sur le fauteuil blanc juxtaposé au divan où Corentin est déjà installé. L'homme bronzé fait les cent pas devant l'immense table à café. Miranda est figée sur un autre fauteuil, elle aussi, sur le bout des fesses.

— Nous savons tous que nous faisons face à une situation délicate, commence-t-il. J'avoue être surpris de ne pas avoir vu les choses venir, ça m'apprendra à être plus présent dans ta vie, mon cher fils. Et à apprendre à te connaître, chère Marie-Douce.

Corentin cache son visage dans ses deux mains. Pauvre lui, avec un tel discours, je ferais pareil. La honte totale...

— Papa, je t'en prie !

— Shhh ! Tant que tu seras sous mon toit, tu n'auras rien à dire ! Compris ?

— Monsieur Cœur-de-Lion, je vous assure que cette discussion n'est pas nécessaire...

Mon beau-père me fait un drôle de sourire.

— Appelle-moi Valentin, dorénavant.

— Euh... OK...

Valentin nous fait donc un sermon d'au moins une trentaine de minutes durant lequel il nous expose sa façon de percevoir notre nouvelle «famille», ainsi que le *planning* de la prochaine année. C'était déjà prévu, nous retournons vivre au

Québec dès septembre. Il se trouve qu'il a signé un contrat important pour un rôle dans une télésérie québécoise. Ce qui, souligne-t-il, implique que Corentin et moi vivrons côte à côte pour bien des mois à venir, si ce n'est des années. Sur ce dernier commentaire, Miranda et Valentin ont échangé un regard amoureux.

Dans tout ce tourbillon d'événements depuis mon départ de chez mon père, je ne me suis jamais arrêtée à remarquer quel genre de relation ces deux-là pouvaient bien entretenir. Étais-je convaincue qu'il s'agissait d'un amour passager? Je pense que oui. Après ce que je viens d'entendre de la bouche de Valentin et après avoir vu son regard doux se diriger sur ma mère, je dois admettre que je suis surprise et touchée. Ils semblent s'aimer pour vrai. C'est un choc!

Au bout d'une longue demi-heure, Valentin en vient donc au fait. Faisant valoir notre jeune âge, de treize (moi) et de quatorze ans (Corentin), il est crucial, selon lui, de préserver notre innocence (vieux jeu, ça oui!) et notre amitié.

Par respect pour Corentin, je ne révèle pas que je suis confuse et que, de toute façon, nous sommes loin d'être un couple. Je laisse plutôt mon beau-père nous annoncer qu'une liste de règlements a été établie pour notre bien.

La fameuse liste comporte cinq points :

1. Pas de contact physique (même se tenir la main).
2. Pas de baiser (évidemment, surprenant qu'il l'ait précisé après le point 1).
3. Pas de petits papiers passés sous la porte de nos chambres respectives (ont-ils oublié les courriels, Facebook, Skype, etc. ? Ah oui, c'est vrai, je n'ai pas de courriel ! J'en suis réduite au papier, j'ai tendance à l'oublier !).
4. Pas de visite d'une chambre à l'autre (même la porte ouverte, il va sans dire).
5. Toute sortie ensemble sera chaperonnée par Bruno si d'autres amis ne se sont pas joints à nous (ben oui, comme si les « potes » de Corentin allaient nous surveiller, *pfff* !).

Alors que son père parle, je lance un rapide coup d'œil vers Corentin. Je remarque un sourire vague sur ses lèvres. J'oserais affirmer sans l'ombre d'un doute qu'il lui rit en pleine face. Soudain, j'ai une pointe d'admiration pour mon ami, qui ne se laisse pas impressionner. Pour ça, il gagne des points. C'est fou comme des détails peuvent changer notre perception d'une personne. Du coup, je suis convaincue que rien ne pourra m'arriver parce que Corentin y veillera. Je sais qu'il est de mon côté, quoi qu'il arrive. C'est un sentiment fort. J'essaie de ne pas imaginer comment Azraël aurait réagi dans pareille situation. Je ne veux pas commencer à comparer les deux garçons !

Puis, contre toute attente, Corentin élève la voix.

– Papa, tu perds ton temps avec tes règlements stupides. Marie-Douce et moi, on ne sera jamais plus que des amis. Vous êtes mariés, Miranda et toi ! Tu penses que j'ai envie d'être amoureux de ma demi-sœur ? C'est ridicule.

– Ce n'est pas ce que j'ai entendu de ta propre bouche hier, mon garçon. Tu semblais très épris de notre jolie Marie-Douce.

– C'était une blague entre nous, répond Corentin du tac au tac. N'est-ce pas, Marie-Douce, qu'on s'amusait à faire croire à Lucien Varnel-Smith qu'on était amoureux pour qu'il te laisse tranquille ?

– Euh… oui… c'est ça !…

Le regard soupçonneux de Valentin passe de mon visage figé par la surprise à celui, impassible, de son fils. Pendant plusieurs secondes, il semble réfléchir ardemment, avant de conclure :

– Bien ! finit-il par s'exclamer. Très bien ! Alors, si c'est comme ça, la règle ne sera pas difficile à respecter ! Elle tient toujours !

Une fois le sujet clos, le père et le fils se serrent la main d'une façon si formelle que je crois à une blague. C'est pourtant loin d'en être une. Malgré moi, je suis un peu déçue de l'attitude de Corentin. Aurais-je préféré qu'il réaffirme ses sentiments pour moi ? OUI ! J'aurais voulu les réentendre devant témoins ! Pas que j'aurais davantage décidé d'être sa blonde… mais bon… Puis, je me dis que d'une autre façon, il m'a encore protégée. Maintenant, Valentin ne sera plus sur mon dos avec cette situation.

Argh ! Mes envies, mes émotions et ma raison n'ont aucune logique. Je suis à la fois soulagée et débinée par l'attitude de Corentin. En même temps, je suis trop gênée et trop peureuse pour mettre les choses au clair avec lui. Suis-je donc devenue comme ces filles qui pleurent dans les toilettes de l'école parce qu'elles sont déçues de l'attitude de tel ou tel garçon qu'elles trouvent à leur goût ? Ou pire, comme celles qui s'amusent à les faire pâtir parce qu'elles ont trop de choix ? Oh, mon Dieu. Je me rends compte que oui. Je suis maintenant de celles qui espèrent en silence avoir toute l'attention ! Oui, j'aime beaucoup Corentin. Mais Lucien est dans mes tripes.

Je fais quoi, maintenant ?

Chapitre 23

Des poupées dangereuses

Après un après-midi et une soirée à discuter (bon, OK, à parler d'Érica et de Samuel), à s'amuser à faire des vidéos de danse (la mère d'Alex lui permet d'avoir une chaîne sur YouTube, la chanceuse!), j'ai obtenu la permission de dormir chez Alexandrine. L'appel à ma mère fut un peu lourd…

– T'es sûre que ça ne dérangera pas Nadine?

Ma mère connaît la mère d'Alex. Elles sont allées à l'école ensemble. De vieilles copines dont la relation fut intense, paraît-il. Est-ce que Nadine était la «Érica» de ma mère? Sa Marie-Douce, peut-être? Ou son Alexandrine, ce coup de cœur inattendu. Mais Nadine et ma mère ne se fréquentent plus… Serait-ce parce qu'elles ont eu une immense chicane spectaculaire? Ou serait-ce leurs occupations d'adultes qui ont fait mourir leur amitié? J'ai mal au cœur rien qu'à y penser. Comment peut-on abandonner nos *BFF* juste parce qu'on devient des adultes, c'est insensé! Je me promets de ne jamais faire ça!

– Non, maman…

Pour être honnête, Nadine avait l'air de s'en ficher que je sois là. Même que j'ai eu l'impression que ça faisait son affaire. Je crois qu'elle m'aime bien.

— OK, mais tu m'appelles s'il y a quoi que ce soit, compris ? T'as pas de brosse à dents. Alex t'en prêtera une ? Je pourrais venir te la porter !

— Maman, le vieux truc de la débarbouillette sur le doigt avec du dentifrice, tu connais ?

— Et ta pompe ? Si tu fais une crise d'asthme !

— J'en ferai pas ! Si jamais c'est le cas, je t'appellerai, t'es à cinq minutes en voiture. Coudonc, maman, on dirait que j'ai jamais couché ailleurs ! C'est quoi ton problème ?

— Aucun problème. Je t'aime trop, c'est juste ça.

— Je t'aime aussi. Bonne nuit…

Nous sommes lundi matin, et nous avons toute la journée devant nous. La mère d'Alex, qui travaille pour une compagnie qui fait des sacs recyclables, est partie tôt, nous laissant à nous-mêmes. Wow, même si elle n'arrête pas de se plaindre que sa mère est « fatigante », il se trouve qu'elle est plus facile à vivre que la mienne. Ma mère aurait détaillé une liste de choses à faire en son absence, incluant des règlements, du genre : pas d'autres amis dans la maison, faire la vaisselle, ne pas vider le garde-manger, se tenir loin de la boîte de Caramilk, etc. Nadine, la mère d'Alex, est partie en me saluant alors que sa fille dormait encore.

Après avoir fait des gaufres pas mangeables avec le gaufrier qu'Alex a fini par m'avouer ne pas savoir utiliser (le mélange ressemblait à de la glue beige et est resté collé dans le moule chauffant!), nous avons résolu de remplir nos ventres affamés avec des Froot Loops (les céréales préférées de Marie-Douce) et des rôties de pain blanc au beurre. Ma mère aurait fait une crise cardiaque si elle nous avait vues manger autant de calories vides dans un seul repas, sans fibres ni protéines. *Ouch.*

Repues mais toujours en pyjama (j'en porte un à carreaux noir et blanc hyper-cool qu'Alex m'a prêté), nous nous mettons au travail. Au programme: fabriquer chacune notre poupée vaudou.

— Ça serait le *fun* que ça fonctionne pour de vrai! dis-je en cousant tant bien que mal le coton blanc pour faire une tête.

— Arrête d'être sceptique! me dit Alex. Ça va marcher si on y croit!

Je continue de coudre (on fait tout à la main selon le patron que sa tante lui a donné), rêvassant de planter une aiguille dans le dos d'une copie version poupée d'Érica St-Onge. Se tordra-t-elle de douleur? Ooooh! Ça serait me donner trop de pouvoirs! Comme une télécommande à tourments! Si ça fonctionne, je lui ferai lever les bras et la ferai danser dans la salle F. Je lui ferai lever la main aux questions difficiles des profs. Je la ferai se fouiller dans le nez devant Samuel. Ça devrait l'écœurer assez pour la laisser! Ouais… c'est tout un monde de possibilités qui s'ouvre devant moi!

— Penses-tu que si on chatouille le dessous des pieds de la poupée, la personne visée va se mettre à rire ou pire, à trébucher?

Alex éclate de rire.

— C'est une mauzusse de bonne idée, ça, Laura. On pourra lui faire subir le supplice de la goutte d'eau tant qu'à y être!

— C'est quoi ça?

— Ils faisaient ça aux prisonniers, il paraît. C'est nono: une goutte d'eau qui tombe toutes les cinq secondes au même endroit sur la tête pendant des heures. Il paraît que ça rend fou.

— Ben voyons donc! OK, on fait ça! On n'aura qu'à laisser la poupée sous le robinet à demi-ouvert et on verra si Érica est agacée par quelque chose! J'avais aussi pensé mettre du poivre de Cayenne dans son nez…

— T'es folle! C'est pas aussi simple, voyons!

— Ah? Je pensais qu'on pourrait commencer dès que la poupée serait terminée et assez ressemblante?

— Non, pour que ça marche, il faut faire une séance de magie pour lier la poupée à la fille, m'informe Alex. Et il faut suivre des règles strictes.

— Comment on fait ça ?

Elle me fait un sourire mystérieux et sort de son tiroir de bureau une feuille blanche. Sur le papier, il y a une liste d'indications.

— Ça vient de ma tante sorcière.

— Ta tante est sorcière ?

Alex hoche la tête.

— La même qui est médium, et elle croit que j'ai les dons pour l'être aussi. Tu ne dois dire ça à personne, Laura ! Tu promets sur la tête de ta mère ?

Wow, Alex serait donc sorcière ET médium. Note à moi-même, ne jamais me la mettre à dos.

— Pourquoi est-ce que j'en parlerais ? On rirait de moi !

— PROMETS, Laura !

Houla ! Ç'a l'air sérieux, son truc.

— C'est promis.

Je refuse d'y ajouter la tête de ma mère ! Heureusement, elle n'insiste pas. Il y a donc devant nous deux modèles de poupées en devenir. Soudain, une question me passe par la tête.

— Si moi, je fais Érica, toi, tu fais qui ?

Elle me regarde sans dire un mot, puis se remet à la tâche, son aiguille encore plus rapide pour croquer le tissu blanc. En toute honnêteté, son expression m'inquiète un peu. Elle a presque l'air… démoniaque.

Oh, oh !… je sens que je ne suis pas au bout de mes surprises avec elle…

Chapitre 24

Fuir un monstre
pour un autre monstre !

J'ai demandé à Miranda de m'accompagner dans Paris, histoire de voir un peu du pays, ai-je prétendu. Je n'ai pas eu à la prier longtemps! Ses joues ont rougi de plaisir, sa bouche vermeille est devenue un cœur et ses boucles blondes ont dansé dans tous les sens. Je n'aurais pas cru lui faire autant plaisir, on dirait une petite fille à qui on vient de donner un chiot.

En réalité, je n'ai aucune envie d'aller me balader avec Miranda, c'est bien évident. La vérité, c'est que je fuis Corentin. Ou plutôt, je fuis toute cette situation qui me rend si confuse. Qu'aurais-je donné pour avoir une amie à qui parler aujourd'hui! Je devrai me contenter de ma mère…

Nous vivons à une heure de Paris en voiture, moins en RER, le train de banlieue. Malheureusement, Miranda est catégorique, elle refuse de mettre le gros orteil dans un wagon de transport en commun.

– T'es au courant que l'avion est un transport en commun, Miranda? À ce que je sache, ton mari n'a pas encore de jet privé!

– C'est pas pareil, tu compares des prunes et des patates.

– Mais je veux voir le monde, je veux les entendre se parler avec leur accent, je veux voir quels bouquins ils lisent, je veux voir comment ils s'habillent, à quelle vitesse ils marchent! Il paraît qu'ils sont très impatients et baveux, je veux voir ça!

— Ah non, alors! Très peu pour moi! objecte ma mère.

— T'es devenue snob, Miranda!

— Comment oses-tu parler à ta mère de cette façon? demande Valentin que je n'avais pas vu entrer.

Mon beau-père me glace le sang. Plus je le connais, moins nous sommes familiers, lui et moi. Il a eu beau me demander de l'appeler par son prénom, ce qui aurait dû être un pas dans la bonne direction, ça n'a rien amélioré, au contraire. J'ai tendance à capituler dès qu'il se mêle de mes conversations avec Miranda.

— Désolée…

— Bruno vous accompagnera, compris?

— C'est assez clair…

— Ne sois pas impertinente, Marie-Douce.

Miranda se lève, pressée de couper court à notre conversation.

— Ça va, mon chéri, elle a compris. Brunooooo? Où il est encore, celui-là? dit-elle avec impatience.

— Euh… dans le garage, dis-je. Il joue aux cartes avec monsieur Gaston, comme d'habitude…

Monsieur Gaston, c'est l'homme qui s'occupe de la maison voisine, celle des Péchin. Une famille un peu bizarre ; je crois que le monsieur était humoriste ou quelque chose du genre. Bref, monsieur Gaston est souvent désœuvré et se fait vieux. Bruno, le chauffeur de Valentin, a aussi beaucoup de temps libre. C'était le match parfait !

– Va l'avertir que nous partons dans une heure !

Une heure ? Non ! Corentin aura le temps de se lever, de venir me voir et… me PARLER. Juste à y penser, mon cœur se serre. Je ne saurai pas quoi lui dire, j'aurai les paumes toutes moites et oufff… c'est encore le Titanic à l'horizon. Moi qui avais fait tant de progrès avec lui depuis que je le connais.

C'est vrai, au début, il m'intimidait à un point tel que j'en bégayais, mais une fois que j'ai appris à le connaître, je n'étais plus nerveuse du tout. Jusqu'à avant-hier, il était mon meilleur ami sur la Terre. Puis, paf ! Il a tout fait chavirer. Toutes mes certitudes, balancées par la fenêtre ! Et là, plus je pense à lui, plus mon cœur frétille. C'est comme s'il avait mis le feu à « mijoter » sur la cuisinière. Il n'a même pas besoin d'être là, encore moins de dire quoi que ce soit pour me charmer, ma tête fait le travail toute seule ! Mon imagination est trop vive. Une minute, il devient mon prince charmant, une autre, il devient le gars que je dois fuir à tout prix parce que je ne sais pas ce que je veux. Encore une autre minute, et le visage de Lucien s'approche (dans mon imagination, évidemment) du mien pour un baiser explosif, ses mains sous mes cheveux, tous mes sens en émoi. Comme dans les films !

— Partons tout de suite, maman… Je… euh… je ne veux pas perdre une seule minute de notre journée ensemble, dis-je, m'étouffant presque sur mon mensonge.

Ma mère me dévisage, un sourire se crispe sur ses lèvres, son menton se met à trembler.

— T'as entendu ça, Valentin ? Ma fille qui ne se peut plus de passer du temps de qualité avec sa maman chérie !

Valentin dépose un baiser sur le front de sa femme sans toutefois cesser de me vriller du regard.

— C'est très bien, dit-il.

Il n'est pas dupe. Je sais qu'il sait que je joue la comédie. Valentin est tout sauf idiot. Son expression me fait ravaler ma salive. On dirait qu'il m'envoie un message silencieux du genre : « Je sais que tu fais semblant, ne t'avise pas de lui faire de la peine ou tu auras affaire à moi ! »

Je dois admettre que c'est romantique, cette attitude protectrice envers sa femme. Je n'en attends pas moins de lui. Ça serait juste ben le *fun* de ne pas être considérée comme étant LA menace dans la vie de sa protégée!

— Justement, poursuit-il d'un ton assuré. Jessica Varnel vous attend pour le thé. Elle pense faire un film qui parle du Québec, elle a invité Miranda. Tu vas l'accompagner avec plaisir, n'est-ce pas, Marie-Douce?

Nooooooon! Je ne peux pas fuir Corentin pour me retrouver devant LUCIEN VARNEL-SMITH alias Azraël! C'est comme fuir un monstre pour aller me réfugier chez un autre monstre!

Les deux me scrutent comme si j'étais sous la lumière forte d'un interrogatoire en règle; ils attendent ma réponse. Juste comme j'allais ouvrir la bouche, Corentin, vêtu d'un bas de pyjama à carreaux et d'un T-shirt noir à l'effigie de Metallica (il me surprendra toujours...), apparaît sous l'arche qui sépare le salon de la salle à manger. Il semble encore endormi. Lorsqu'il m'aperçoit, il pince les lèvres et fait demi-tour. Cherche-t-il, lui aussi, à m'éviter?

— Oui... bien sûr. Allons-y.

J'ai le souffle court et les nerfs en boule!

Chapitre 25

L'ennemie de l'ennemie

Il est déjà près de trois heures de l'après-midi lorsque nos petits projets de coton blanc commencent à ressembler à des poupées. Nous sommes toujours en pyjama, nous avons terminé la boîte de Froot Loops au complet et avons bu au moins deux chocolats chauds chacune. C'est la vie rêvée! Deux filles en vacances sans parents pour les surveiller! Seule ombre au tableau, j'ai oublié mon iPod à la maison! Je ne l'ai pas fait exprès et, quand je m'en suis rendu compte, j'ai eu un instant de panique. Comment saurais-je si Corentin m'a répondu?

– Relaxe! m'a dit Alexandrine. Ça va te faire du bien de délaisser tes sacro-saints messages. Je t'aurai toute à moi! Et puis, j'ai mon iPad pour aller sur Internet!

Mon premier réflexe a été de trouver une solution!

– On pourrait connecter Messenger sur mon compte et...

– Il n'en est pas question! Je t'annonce que t'es en sevrage d'Internet, mon amie.

J'ai plissé les yeux, mécontente, puis je me suis fait à l'idée.

– OK, mais toi non plus tu ne prends pas tes messages, alors!

– Vendu ! Je vais même aller débrancher le routeur sans fil !

– Là, tu parles !

Tout ça, c'était hier soir. Nous avons tenu bon et n'avons pas reconnecté le réseau depuis cette conversation. Concentrées sur notre tâche de couture, nous sommes encore loin d'avoir des prototypes semblables à nos victimes ! Pour l'instant, Alex garde le secret sur l'identité de sa poupée.

– Est-ce que je la connais ?

– Oui…

– Pourquoi tu ne veux pas me dire c'est qui ?

– …

– Alex ? Tu peux me faire confiance. Je veux juste savoir… C'est un gars ou une fille ?

– Une fille.

– On aura déjà une poupée d'Érica, je ne vois pas qui tu voudrais faire ? T'as une autre ennemie ?

– Oui… ma pire ennemie. La plus dangereuse qui soit !

Je suis médusée. J'ai beau chercher parmi les filles que nous connaissons toutes les deux, personne ne me vient à l'esprit !

– Laisse faire, OK ? m'implore-t-elle. Tu le sauras bien assez vite.

– OK… mais tu promets de me le dire ?

— J'aurai pas le choix, soupire-t-elle. Bon ! Laisse-moi voir la tienne ! Érica prend forme… mais attends, j'ai une idée !

Nous avons déjà cousu des bouts de laine pour imiter les cheveux brun foncé d'Érica. Pour ses grands yeux marron aux cils bourrés de mascara, nous avons cousu des boutons noirs. C'est vrai que ça commence à lui ressembler. Le défi sera le reste du corps. Elle n'est pas très grande, elle m'arrive environ au nez, mais ses formes sont déjà pas mal développées. Disons qu'Érica a commencé à porter un soutien-gorge en 4e année du primaire et sa croissance mammaire n'a jamais ralenti ! Je dois donc calquer sa poitrine forte sur le torse de mon personnage !

Les fous rires que ce petit projet a suscités sont mémorables. Alex m'a donné un bouchon de liège que j'ai coupé en deux, les déposant sous la gorge de la poupée.

— Attends, il faut lui faire un haut de bikini !

Elle découpe un bout de coton fleuri dont elle entoure le petit corps mou avant de faire un nœud.

— OK, mets les moitiés de bouchon dedans.

— On dirait Madonna avec un de ses costumes de scène !

Nous sommes mortes de rire, j'en ai les larmes aux yeux.

— L'important, c'est pas la ressemblance parfaite, mais que la poupée ait les traits généraux de la personne. Je crois que c'est réussi pour la poitrine.

— Mais, heille, Alex… On n'est pas fines… Je me sens un peu poche…

Elle cligne les yeux plusieurs fois, comme si elle était surprise de mon sentiment de culpabilité. Non, mais c'est vrai ! La fille n'a pas demandé à avoir une poitrine pareille… c'est pas de sa faute.

— Si tu savais, ma pauvre Laura.

— Si je savais quoi, Alex ? Je pensais que tu m'avais tout raconté ?

Elle plaque une main sur son visage, puis l'autre, avant de se frotter les yeux avec frénésie.

— Aaaah zut ! Je vais devoir te montrer ce que je ne voulais pas te montrer !

— Han ? Quoi, quoi, quoi ? ? ? ?

Ça m'inquiète, elle évite mon regard. Décidément, cette fille est née pour me stresser, même quand on s'entend bien !

— Promets que tu vas encore me parler, Laura. Promets, je t'en supplie !

— Pourquoi t'as peur que je t'haïsse, Alex ?

— T'as pas promis…

– Dis-moi c'est qui ta poupée et je vais te le promettre. Pas avant.

Elle hésite, regarde le plafond, puis ses pieds (chaussés de grosses pantoufles de Bob l'éponge, ridicules surtout dans les circonstances actuelles). Nous sommes dans le salon et travaillons à genoux sur le tapis, notre matériel répandu librement sur la table à café.

– Ma poupée vaudou... c'est moi. Je suis ma propre pire ennemie ! Et la tienne !

J'ouvre la bouche, incapable de sortir un son.

Chapitre 26

Azraël, le charmeur
de « matantes »

C'est bien ma chance. Ma mère s'est faite copine avec celle de Lucien! Nous voilà donc, vêtues de petites robes mignonnes presque agencées (dans un élan d'autorité sur ma personne, grâce aux gros yeux de Valentin et à ma docilité involontaire, ma mère a décidé de ce qu'il était convenable que je porte pour cette sortie ô combien importante pour elle!). La sienne est jaune canari, la mienne bleu poudre. On dirait qu'on sort tout droit d'un film des années 50!

Jessica Varnel nous accueille avec un grand sourire. Elle est vêtue d'une jupe blanche et d'un chemisier de soie d'un bleu royal qui rappelle le saphir de ses boucles d'oreilles. Nous voilà prêtes pour un cocktail mondain chez la reine d'Angleterre.

Comme nous pénétrons dans le chic appartement parisien, j'entends des voix qui viennent de la salle à manger... toutes féminines et très accentuées. Une boule énorme se forme dans ma gorge, je n'ai jamais tant regretté d'avoir accepté une sortie! Je veux courir dans l'autre sens! Miranda, qui me connaît davantage que je ne le croyais, semble-t-il, doit s'être aperçue de mon trouble parce qu'elle m'agrippe le bras de sa main manucurée à la française. Dans son souffle sur mon oreille, j'entends sa petite voix qui m'ordonne avec fermeté:

– Souris et sois polie.

Sans bouger les lèvres, je rétorque :

— Est-ce que j'ai déjà été impolie ?

— Mirandaaaaaaa ! s'écrie une femme d'une quarantaine d'années du fin fond de la longue table garnie d'une nappe de dentelle blanche. Quel plaisir de vous revoir, très chère !

Elle est blonde, cheveux aux épaules, de toute évidence coiffée par un ami de Georges parce qu'elle ressemble à Miranda, et à moi, par extension. Cette scène est débile. Incluant ma mère et Jessica Varnel, elles sont six dames sur leur trente-et-un. Je ne m'inclus pas dans ce total parce que, dans pas longtemps, je ferai le bacon sous la table à feindre un évanouissement qui devra m'envoyer tout droit à mon lit.

Les six convives se font donc la bise une à une. Ce seul exercice dure au moins cinq minutes. Je remarque que Miranda a su apprendre à copier leur accent à la perfection. Valentin lui aurait-il donné des cours ? Toujours est-il qu'elle se mêle au petit groupe comme si elle était native de la place. Puis, douze yeux aux paupières maquillées se pointent sur une seule cible : ma personne.

— Oh ! Miranda ! C'est votre fille ? Elle est exquise ! dit la brune aux cheveux gonflés.

Par contre, son sourire semble sincère. C'est drôle, depuis mon arrivée à Paris, ma principale préoccupation est de distinguer parmi les gens bizarres que je rencontre qui a un potentiel acceptable pour être mon allié. Cette dame ne me semble pas si pire. C'est peut-être son visage un peu mince garni d'un nez un peu trop long et ses petits yeux rieurs qui m'inspirent confiance. Elle est moins « plastique » que ses copines, ce qui veut dire, dans ce drôle de monde, qu'elle n'a peut-être pas subi de chirurgie esthétique, ou du moins, pas encore !

— Je m'appelle Solange, me dit-elle. Je suis certaine que nous serons de bonnes amies !

Ma mère me donne un coup de coude inutile, j'aime déjà cette Solange, elle semble être ma bouée de secours dans cet univers de folles !

— Enchantée, Solange.

— Quel âge as-tu, ma belle ?

— Treize ans.

— Ô sainte Marie, mère de Dieu, c'est qu'elle a l'air plus âgé que treize ans, cette petite ! fait celle aux cheveux d'une couleur incertaine entre le blond et le roux.

Celle-là est tout aussi grimée que les autres. D'un regard rapide, je remarque qu'elle a une bague à presque chacun de ses doigts. Ça doit être

énervant pour faire la vaisselle. Ah, mais attendez !
Aucune de ces femmes n'a dû toucher à de l'eau de
vaisselle depuis… disons… leur vie entière !

— C'est juste une illusion, c'est la robe qui vous
donne cette impression-là.

Les cinq dames (j'exclus ici ma mère) me
lancent un air ébloui. Pas comme si j'avais fait une
prouesse, non… mais plutôt comme si j'étais une
curiosité. Par réflexe, je me touche le nez : ai-je une
tache de quelque chose dans la face ?

— Mais quel bel accent ! J'avais oublié que tu
arrivais du Canada ! s'exclame Solange. Avec une
phrase entière, on a pu bien l'entendre. Vous l'avez
bien entendue, n'est-ce pas, mesdames ? demande-
t-elle en se retournant vers ses amies.

Zuuut, je devrai apprendre à me la fermer ! On
dirait qu'elles ne connaissent aucun Québécois !

— Elle parle comme Céline Dion !

— Et comme cette imitatrice… là…

— Véronic DiCaire, dit la blonde-rousse.

— Véronic est Franco-Ontarienne, dis-je.

Mais personne ne m'écoute. Pour elles, l'Ontario,
le Québec, c'est du pareil au même. Bref, nous prenons place à la longue table au cachet moderne. Les
chaises sont recouvertes d'un cuir couleur ivoire.
Le tapis sous nos pieds est bleu ciel. Aurais-je dû

retirer mes chaussures ? Je porte une de ces autres paires que ma mère m'a procurées dans un élan de folie. Mes souliers sont blanc cassé. Je remarque que mes pieds s'agencent avec ma chaise. Ah ben, c'est super.

Alors que les femmes questionnent ma mère sur son mariage récent avec le beau Valentin Cœur-de-Lion (elles veulent tous les détails et ma mère en met !), j'ai le loisir de respirer un peu. Je regarde les environs, tout est beau, précieux, mais c'est la vue sur Paris qui me jette à terre. Nous y sommes cette fois en plein jour, et on peut voir au loin la tour Eiffel ! Je me lève pour aller à la grande fenêtre sans que les femmes me remarquent.

– Impressionnée ? fait une voix masculine.

Je sursaute en portant la main à mon cœur. Lucien se tient à ma droite, les mains dans les poches, le visage tourné vers le même décor.

– Tu m'as fait peur !

Je parle tout bas. Nous sommes un peu à l'écart de la tablée de buveuses de thé, mais pas assez loin pour s'exprimer de vive voix.

– Qu'est-ce que tu fais avec ces bonnes femmes ?

Il me détaille de haut en bas.

– Habillée comme elles, en plus, ajoute-t-il avec un sourire en coin.

— Ris pas de moi, c'est ma mère…

Derrière nous, les voix s'estompent. Est-ce parce que je suis obnubilée par la seule présence de Lucien ou les femmes ont-elles cessé de parler ?

— Lucien, mon chéri ! s'exclame Jessica. Tu connais déjà Marie-Douce ?

Lucien semble être habitué à ce genre d'invasion de têtes coiffées. Il se retourne vers les « bonnes femmes » et les salue avec galanterie d'un signe de tête.

— Quel charmant garçon ! s'exclame la blonde-rousse.

J'ai cru comprendre qu'elle se prénomme Gwendoline.

— Tante Gwendoline ! dit Lucien. Ça faisait longtemps. Comment vas-tu ?

Aha ! J'avais bien compris ! On a donc une Jessica, une Solange, une Gwendoline… Alors que j'essaie de mémoriser les noms et les visages, Lucien use de son charme pour convaincre ma mère de le laisser m'emmener faire une promenade. À la vue de ce beau grand jeune homme si poli, et riche de surcroît, elle ne se fait pas prier longtemps.

— Je vous la ramène en un seul morceau dans deux heures, dit-il d'une voix trop révérencieuse pour être naturelle.

Il rit d'elle en pleine face, mais Miranda n'y voit que du feu.

— Viens, t'es libre, chuchote-t-il en me tendant la main.

Telle une automate, je glisse ma paume dans la sienne et me laisse entraîner vers les escaliers.

Chapitre 27

C'est qui la « pas fine » ?

— Ma poupée vaudou… c'est moi. Je suis ma propre pire ennemie ! Et la tienne !

Les mots d'Alexandrine restent figés dans l'air, comme pris en otage par mon incompréhension totale ! Elle fait les cent pas devant moi, entre la table basse et le divan, je suis maintenant assise dans le fauteuil d'un gris douteux entre le bleu et le vert (la déco n'est pas le point fort de Nadine, mettons), confuse et alarmée.

— Attends, je vais te montrer pourquoi tu ne devrais pas te sentir mal d'être méchante avec Érica ! Tu vas tout comprendre.

Elle me plante seule dans le salon, avec en bruit de fond les vidéos de MusiquePlus qui jouent à la télévision. On dirait que c'est l'heure des vieilles affaires, voilà une vidéo de Mitsou avec un chapeau noir qui chante « Bye bye, mon cowboy », ouf… comme dirait Corentin : ça craint. J'aime la musique des années 80, mais ça, ça dépasse mes capacités auditives.

Depuis qu'Alex a gravi les marches pour aller fouiller dans sa chambre, il doit bien s'être passé cinq bonnes minutes. Mais qu'est-ce qu'elle peut bien avoir de si terrible à me montrer ? Je continue à piquer d'une grosse aiguille à laine le coton de la tête de la fausse Érica pour lui donner un semblant de chevelure fournie. D'un crayon-feutre rouge, je lui trace une bouche. Je fais exprès pour lui donner une espèce de sourire de cinglée avec une bouche en « O ».

— T'es belle de même, dis-je à la fausse Érica avec une voix comique.

— T'es pas fine, me répond-elle (avec ma propre voix, évidemment).

— Non, c'est toi la « pas fine », lui réponds-je.

— Non, c'est toi !

— Non, c'est toi !

Après une longue argumentation entre la poupée et moi-même, je la fais tomber en bas du divan, tête première. Je ris toute seule.

— C'est qui la pas fine, là ? Han ? Han ?

Le son d'un raclement de gorge me fait sursauter. Alex est redescendue sans faire de bruit.

— Alex ! C'était long ! La fausse Érica et moi, on faisait connaissance ! Hé ! Hé !

Ma tentative d'alléger l'atmosphère tombe à plat, Alexandrine ne change pas d'expression. Elle a encore le même air grave que tantôt. Sa main est derrière son dos, elle cache quelque chose.

— Rappelle-toi que tu m'as promis que tu me parlerais encore !

— Qu'est-ce que tu caches derrière ton dos, Alex ?

D'un mouvement très lent, elle ramène sa main devant elle, avec, entre ses doigts, une poupée vaudou aux cheveux et aux yeux bruns. Jusque-là, rien de spécial, jusqu'à ce que je remarque que les pieds sont couverts de tissus gris et que des lacets vert lime (pareils aux miens) entourent ses chevilles.

Cette poupée, c'est moi.

Horrifiée, je me lève pour saisir mon alter ego. D'un geste automatique, je lui caresse les cheveux comme si j'essayais de la consoler. Elle a des trous dans le dos, sur le corps et au visage. Elle ne m'a pas manquée !

— T'es dégueulasse, Alexandrine Dumais.

— C'était celle d'Érica, m'annonce-t-elle. C'est pour ça que je ne veux pas que tu te sentes mal de rire d'elle.

— Elle *m'haïssait* tant que ça ?

Les larmes aux yeux, Alex hoche la tête pour signifier que j'ai visé juste.

— Mais t'as participé avec elle ! C'est toi qui lui as montré à faire une poupée comme tu le fais avec moi ! Et je fais une poupée d'elle ! Tu ne trouves pas ça un peu tordu, Alex ?

Des larmes coulent sur ses joues, ses yeux gris sont si clairs qu'on dirait une de ces belles vampires de *Twilight*.

— Depuis ce matin que je me trouve exécrable. Pourquoi penses-tu que la seule personne que j'ai le goût de viser, c'est moi-même ?

— Crois-tu que mes malheurs ont un lien avec cette poupée ?

Elle s'assoit sur le bout du divan, ses cheveux tombent devant son visage et elle n'essaie même pas de les tasser.

— Je ne sais pas. Je peux juste te dire que nous avons fait le rituel la veille de la fameuse scène de Corentin avec Marie-Douce qui portait ton T-shirt. Drôle de coïncidence, tu ne trouves pas ?

Un haut-le-cœur me monte dans la gorge. Du coup, je jette ma poupée et celle d'Érica sur la table.

— Mettons tout ça à la poubelle, dis-je, la voix rauque. C'est trop noir, trop… déprimant. On peut faire autre chose de notre temps, tu ne trouves pas ?

Sur ces mots, Alex relève la tête et son visage s'illumine.

— C'est vrai ? Tu ne m'en veux pas ?

Je la regarde de longues secondes avant d'esquisser un sourire franc.

— Tu m'as révélé quelque chose que seule une amie aurait eu le courage de dévoiler. Non, je ne t'en veux pas, Alex.

Chapitre 28

Questions Québec !

Nous sommes dans les escaliers qui mènent à la rue. En quelques minutes de marche, nous nous retrouvons au coin des rues du Colisée et de Ponthieu. Il y a une boulangerie, un restau-café, beaucoup de motocyclettes stationnées, un homme sans-abri assis à même le sol, la main tendue. C'est peut-être idiot, mais après toute l'opulence dans laquelle je baigne depuis des semaines, voir la pauvreté me cause un brutal retour à la réalité. Ainsi, même à Paris, la Ville Lumière, tout n'est pas rose ! Loin de là…

Les trottoirs et même les rues sont très étroits, d'aucune façon deux voitures ne peuvent s'y croiser. Les immeubles, la plupart du même beige, sont multicentenaires, rien à voir avec nos édifices neufs de Montréal. Ici, les bâtiments sont plus solides, ancrés dans le temps ; tout a une histoire. C'est Corentin qui m'a tout expliqué lors de nos longues balades dans Paris.

— T'as faim ? demande Lucien.

Il n'a pas encore lâché ma main !

— Euh…

Il s'arrête, je lui fonce dedans. Il est si solide que s'il ne m'avait pas retenue, je suis certaine que j'aurais rebondi et serais tombée sur les fesses sur le pavé.

— Ici, c'est la boulangerie que je préfère, dit-il. Viens, je vais te faire goûter à la « salade folle ». Il y a des tas de trucs dedans, comme du poulet, du jambon, du gruyère, des noix. Avec un croissant tout droit sorti du four, tu vas adorer.

— Euh… OK…

Cette fois, ses doigts quittent les miens, mais sa main glisse dans le bas de mon dos, comme si j'étais sa blonde, ou quelque chose du genre. J'ai l'impression d'être dans un rêve, le genre duquel on ne veut pas se réveiller.

Il commande à ma place ! Jamais un garçon n'a fait ça pour moi avant, c'est une drôle de sensation. Il nous commande le même repas.

— Tu veux boire quoi ? Un coca ?

— Tu veux dire un Coke ?

Il secoue la tête en riant. Quelle cruche, je fais ! Coca ou Coke, pourquoi me donner la peine de poser une question aussi stupide ? Il me rend nerveuse ! Le pire, c'est que je ne veux même pas de Coke, j'aimerais mieux de l'eau à saveur de framboises. J'allais demander s'ils en avaient, quand quelqu'un interpelle Lucien de l'autre bout de la boulangerie.

— Lucieeeen !! Luuuuciennn ! fait une voix féminine.

Ah! On voit bien qu'il est chez lui dans ce quartier. Je me retourne pour voir d'où provient la voix intruse. Du coup, un nœud se forme dans ma gorge. J'ai le goût de bouder. Je ne veux pas qu'une « meuf » vienne me voler le peu de temps dont je dispose avec Azraël. Et elle est trop contente de le voir. Je n'aime pas ça.

La fille est grande, dotée de cheveux bruns dont la coupe garçonne éméchée n'affecte en rien sa beauté. Sur moi, cette coiffure serait affreuse, sur elle, c'est stylé. La vie est injuste.

— C'est Cristelle, elle est modèle pour Stella McCartney. Je nous en débarrasse vite, t'en fais pas, dit-il avant qu'elle soit assez proche pour l'entendre.

Un mannequin. C'est le *fun*, ça!

— Salut, mon loup! J'étais dans le coin pour aller prendre un pot avec les potes. Ah, j'oublie toujours que t'es trop jeune. C'est ta copine?

Elle pointe sur moi des yeux bleus comme la mer. Impossible qu'il ne s'agisse pas de verres de contact colorés. Justement, elle porte un index à son œil pour le frotter. C'est de la triche!

— Ces lentilles vont me rendre folle!

— Alors, pourquoi tu les portes, ils peuvent « photoshopper » la couleur de tes yeux, non? demande Lucien sans lâcher ma taille.

— C'est pour le défilé. Photoshop ne fonctionne pas sur la passerelle ! argumente-t-elle en riant.

Elle se penche vers moi, ses grands yeux d'elfe me détaillent des pieds à la tête.

— Mais où as-tu déniché cette petite poupée de porcelaine sortie tout droit de la série *Ma sorcière bien-aimée* ?

Zut, c'est à cause de ma maudite robe bleu poudre que Miranda m'a forcée à porter, sans parler de mes souliers précieux, beiges et proprets. Ça y est, ses deux mains aux doigts effilés sont dans mes cheveux !

— Tu es belle, me dit-elle.

— Euh… merci…

— Je suis sérieuse, il y a quelque chose à faire avec toi. T'as déjà posé ?

Quoi ? !

— Non, jamais.

— Oh ! Mais c'est quoi cet accent ? T'es Ch'ti ?

— Ch'ti ? C'est quoi, ça…

— Des gens du Nord, m'informe Lucien en montant sa main sur mon épaule.

Décidément, il garde un contact physique constant sur moi. Il me fait sentir… protégée, et bien…

— Je suis Québécoise.

Son visage s'éclaire.

– Comme Céline ? C'est vrai ? Ah, j'ai toujours rêvé d'aller au Canada ! Tu as des chiens ?

Mais qu'est-ce qu'ils ont tous avec le Canada ?

– J'ai un saint-bernard…

– Il tire le traîneau ?

OK, je pense que je me fais niaiser, là.

– Quoi ?

Lucien éclate de rire.

– Ils ne vivent pas comme dans le documentaire qui circule sur YouTube, Christelle. Euh… n'est-ce pas, Marie-Douce ?

Ouille, ouille ! C'est inquiétant pour notre réputation. Il y en a vraiment qui croient à cette vidéo qui présente le Québec comme étant un endroit où les huskies tirent les traîneaux, où l'on vit dans les igloos et où il fait -45 °C à longueur d'année ? Le fameux château de glace a dû leur paraître exotique !

– Non, nous avons une vie semblable à la vôtre. On a juste plus de place pour respirer, dis-je.

Christelle me dévisage avec une sorte de transe admirative. On dirait que je suis un beau petit chaton d'une couleur rare et qu'elle s'apprête à m'adopter sur un coup de tête.

— T'es très mignonne avec ton visage en cœur et ton accent. Et cette robe, wow… Je peux te prendre en photo? dit-elle en sortant son iPhone.

Je n'ai pas le temps de répondre, qu'elle a déjà fait le cliché.

— C'est Gérard qui va adorer! On garde contact! Au revoir, les copains!

Et juste comme ça, elle s'évapore parmi les passants. Je lève la tête vers Lucien.

— C'était quoi, ça?

— Tu t'y habitueras. Viens, allons manger sur le banc là-bas. Je crève de faim.

Chapitre 29

Madame Drama-Queen

Message reçu *in extremis* lundi dernier, soit vingt-trois heures après la menace proférée à Corentin (il m'a encore déjouée!):

> **Cocoleclown**
>
> Bonjour, madame Drama-Queen, je constate que tu es toujours aussi patiente et adorable. Nous revenons dans une toute petite semaine, je promets de tout te raconter à mon retour. Ça va comme ça? Ne me renie pas, ce serait dommage, tu manquerais bien des détails croustillants.
> Bises,
> C.

Déjà vendredi le 21 août. L'été tire à sa fin et ENFIN, Marie-Douce et Corentin reprennent l'avion dimanche pour revenir à la maison. Ou devrais-je dire, «les» maisons. La chambre de Marie-Douce est prête pour son retour. J'ai placé ses bibelots, ôté mes *posters*, replacé ses meubles depuis que mon lit est désormais dans une autre pièce (ma super chambre aux murs «disco des ténèbres») et c'est aujourd'hui que je dis au revoir à Dracula.

En effet, même si Marie-Douce n'arrive pas aujourd'hui, je souhaite m'assurer que tous les poils auront disparu et que l'air de la maison sera pur pour qu'elle puisse bien respirer. J'ai donc mis en place le projet « anti-chat ». Je compte, d'ici demain, avoir tout préparé pour elle. Quand j'en ai parlé à Hugo, il était très ému.

— T'es gentille, Laura. Je suis certain que Marie-Douce l'appréciera beaucoup.

Il m'a serrée dans ses bras et je soupçonne qu'une petite larme d'émotion s'est pointée à son œil. Ma mère et lui m'ont promis de m'aider. Et comme prévu depuis longtemps, Dracule sera adopté par Constance.

Voilà déjà quatre jours qu'a eu lieu notre fameuse presque séance de vaudou à Alexandrine et à moi. Depuis, nous avons tâché de nous trouver d'autres occupations, dont jouer au Monopoly avec Constance et Samantha. Je sais, drôle de mélange d'amies. Si on ajoute à ça les visites impromptues de Samuel et d'Érica pour un sandwich ou deux et/ou juste pour venir mettre le trouble dans la cuisine, disons que ce fut une semaine… intéressante.

Alexandrine n'a pas la langue dans sa poche, et Érica est trèèèèès émotive et trèèèès *drama-queen*. En tout cas, si Corentin pense que JE suis la reine du drame, c'est qu'il ne connaît pas Érica St-Onge !

Ce fut, je dirais, les moments les plus amusants de la semaine.

— Qu'est-ce qui se passe, Érica, t'es pas contente de me voir ?

Ou

— Viens donc jouer avec nous, Érica, de toute façon, ton chum t'ignore ! Ha, ha, ha !

Ou

— D'après moi, ton tube de mascara doit tirer à sa fin, tes cils sont pas égaux ce matin ! Ha, ha, ha !

Évidemment, Érica sautait sa coche en jouant à la victime auprès de Samuel qui, comme le disait si bien Alexandrine, se fichait pas mal des états d'âme de sa blonde. S'il avait eu un tant soit peu de considération pour elle, il n'aurait pas passé son temps à tourner autour de notre quartier général, non ? N'y avait-il pas de pain et de *baloney*, chez eux ? Pourquoi venir traîner chez Constance ? Cette question m'a trotté dans la tête tout l'été !

Je m'étais promis de ne pas poser de questions à Samantha au sujet de son frère. Combien de fois estce que le sujet a failli tomber par mégarde de mes lèvres dans les derniers mois ? En trop d'occasions pour les compter. Je ne voulais pas que Samantha ou même Constance ait la moindre impression que je les fréquentais pour me rapprocher de Samuel. Je dois avouer qu'une infime partie de mon inconscient a peut-être fait en sorte que je me rapproche d'elles par attirance pour Samuel. *Peut-être.* Mais avec le temps, je me suis attachée à elles.

Hier soir, Samantha, dans sa grande discrétion légendaire, *#NOT*, a ouvert un sujet très délicat alors qu'on rangeait les cartons et les faux billets de Monopoly à la suite de ce qui devait être notre cinquantième partie depuis la fin des classes.

— Moi, j'aimerais savoir quelque chose, a-t-elle commencé de sa voix forte.

Elle a plaqué nos mains sur la table de ses paumes pour nous faire cesser de ranger le jeu.

— Arrêtez de gigoter, les filles, c'est important.

Alexandrine et moi nous sommes regardées avec un point d'interrogation dans les yeux. Constance, qui semblait savoir à l'avance ce que sa nièce allait dire, s'est caché la face de sa main.

— Sam, laisse faire ça, c'est pas important, a-t-elle soupiré.

— Quoi? Qu'est-ce qui est pas important? a insisté Alex.

— Je veux savoir, quand l'école va recommencer, est-ce que Constance et moi, on fera partie de ta gang, Alex? Après tout, tu manges nos *chips*, bois notre jus, respires notre air depuis des jours! Alors, je pense qu'on doit mettre les choses au clair tout de suite !

— Aaarrgh ! Sam ! s'est exclamée Constance en cognant son propre front sur la table. Arrête ! Tu me fais honte !

L'atmosphère était à couper au couteau. Un grand malaise s'est installé dans la pièce. J'ai essayé, tant bien que mal, d'adoucir la tension qui montait.

— Sam, c'est pas une question à poser, comment veux-tu qu'Alex prévoie ça ?

— Oui, c'est une question à poser ! Je ne veux pas arriver au premier jour d'école et me faire tourner le dos par quelqu'un qui a passé des heures chez moi !

— C'est même pas chez toi, ici, Samantha, c'est MA cuisine ! s'est insurgée Constance. Alex, t'as pas à répondre à ça. Quant à moi, tu feras bien ce que tu veux dans la salle F, j'en ai rien à foutre !

— C'est pas vrai, ça, Constance ! On en a parlé toute la semaine. T'as dit toi-même de ne pas me faire d'idées, qu'Alex est ici juste pour être avec Laura, que dès septembre, elle ne nous parlera plus !

Mon regard incrédule est passé de Samantha, à Constance qui se tenait la tête à deux mains, à Alexandrine qui venait de croiser ses bras sur sa poitrine, impassible face à cette petite scène digne d'un téléroman.

— Est-ce que je peux parler, maintenant ? a fini par demander Alex.

— Le plancher est à toi, a répondu Samantha, sarcastique.

— Premièrement, je vous remercie de m'avoir laissée respirer votre air.

— Oh mon Diieeeeeuuu, je pense que je vais mouriiiiiir de hoooonte ! s'est plainte Constance, la face toujours sur la table.

J'ai tendu la main pour masser son épaule.

— Non, non, meurs pas, c'est pas de ta faute, l'ai-je rassurée.

— Je disais donc, a repris Alex en haussant la voix, que je vous remercie pour ces derniers jours. Je dois par contre vous dire que Constance a raison. Quand l'école reprendra, je retournerai dans mon coin, avec ma gang. Sam, ça n'a rien de personnel, mais tu ne cadres juste pas. Désolée. Constance non plus.

Elle s'est levée de table, elle a saisi son sac puis, une fois près du couloir qui menait à la sortie, elle s'est retournée vers moi.

— Je suis désolée, Laura. T'auras un choix à faire. Ce sera elles ou moi.

Sur ces mots crus et si typiques d'Alexandrine Dumais, elle a quitté la maison de Constance sans se retourner.

Comment Alex peut-elle être aussi cruelle ?

Chapitre 30

Un baiser d'adieu pas ordinaire

Je ne peux pas croire que c'est déjà la fin du voyage. Les derniers jours se sont déroulés hors de ce monde. À la suite de mon escapade avec Lucien en ville, j'ai retrouvé ma mère chez les Varnel-Smith et nous sommes retournées à la maison de la grand-mère de Corentin. Ce dernier était parti chez des amis quand je suis arrivée. Coïncidence ? Oh non, je ne crois pas !

Je suis aussi convaincue que Valentin a fait tout en son pouvoir pour nous éloigner l'un de l'autre jusqu'à aujourd'hui. Une véritable conspiration. Miranda m'a traînée dans ses activités, c'est-à-dire aller luncher, souper avec différents amis de Valentin dont plusieurs artistes. Nous avons aussi assisté à un défilé de mode où j'ai revu Christelle dans son élément naturel. Elle était méconnaissable avec du noir sur les paupières et du rouge à lèvres si rouge qu'il rivalisait avec le vermeil de Miranda.

Il nous reste deux soirées en France, nous prenons l'avion dimanche matin à la première heure. Je suis épuisée à l'extrême. Je n'ai pas eu une seule seconde à moi depuis des jours. Ce soir, je reste dans ma chambre avec un bon roman. Que personne ne me dérange ! Demain, je fais la grâce matinée et je passe l'après-midi à lire. Demain soir ? Même chose ! Je me repose, je ne veux plus voir personne.

Est-ce qu'on peut faire une indigestion de sociabilité ? Je suis convaincue que oui ! Je rêve de devenir un ermite. Bref, ce que je constate, c'est que mon ancienne vie me manque.

Mais je serais bien ingrate de me plaindre. J'ai rencontré des *stars*. J'ai même discuté avec le beau Harrrryyyyy de Full Power ! Ai-je songé à prendre des photos de moi avec lui ? Ben NON. Je n'aurai pas de preuve à rapporter. Et le pire, c'est que ça ne me dérange même pas. C'est un garçon ordinaire, qui va aux toilettes et qui dit parfois des niaiseries. Disons que je n'ai plus la même perception des vedettes.

Donc, ce soir, je sais que Corentin est là. J'ai entendu sa voix au travers de la porte de ma chambre. Je ne suis pas sortie. S'il veut me voir, qu'il vienne. S'il le fait, j'espère avoir le temps de me cacher sous le lit. Pourquoi ? Parce que je suis plus confuse que jamais. C'est horrible, j'ai toujours le cœur au bord des lèvres. Ma vie est une réelle saga !

Mon après-midi avec Lucien, à nous balader dans le dédale des rues de Paris, à juste marcher, discuter et découvrir les lieux fut un moment mémorable. Que dis-je ? C'était un rêve. Il était galant, courtois, drôle ! Il était très à l'aise d'entourer mes épaules de son bras alors que moi, je retenais mon souffle. Marcher avec lui, c'était comme être accompagnée par un personnage charismatique et se sentir comme une princesse. J'ai appris que Corentin et lui se connaissent depuis la petite enfance. Que Jessica Varnel et Valentin Cœur-de-Lion s'étaient, eux aussi, connus enfants.

— Est-ce qu'ils ont déjà été amoureux? ai-je demandé.

Il a ri de ma question.

— Ah, vous les filles, vous voyez de l'amour partout. C'est toujours qui sortira avec qui... J'ai raison?

J'ai senti le feu envahir mes joues, j'ai dû rougir comme une pivoine.

— C'est pas vrai tant que ça...

Assis sur un banc, il a tiré mon bras pour que je tombe assise sur ses genoux. Il a entouré ma taille de ses bras.

— T'es si légère, c'est dingue.

Mal à l'aise, surtout qu'il venait de faire allusion au ridicule de croire à l'amour, j'ai pris mon élan pour me relever et ainsi, m'éloigner de lui. J'aimais être dans ses bras, rien ne me faisait plus *triper*, mais pas avec cette attitude-là, non merci!

— Hé, hé, attends une minute, pourquoi tu t'éloignes? T'es pas bien, comme ça?

— Laisse-moi me relever, Lucien.

Sans dire un mot de plus, il a ouvert les bras et j'ai pu me dégager.

— Merci.

— C'est mon commentaire sur l'amour qui te met dans cet état, Marie-Douce?

— Non... non, pas du tout!

— Menteuse.

— Heille, arrête...

— Vous, les meufs, c'est toujours la même histoire. On ne peut pas se contenter de vous accorder de l'attention, de vous trouver belle, de flirter... Ça finit toujours en: «Mais tu t'en vas où avec tout ça?» Merde, j'ai quinze ans!

— Je ne t'ai rien demandé!

— C'était dans tes yeux! Et puis, t'es pas mieux que moi, Marie-Douce Bbbbrissssson-Bbbbissssssonnette.

Là, j'étais mystifiée.

— Qu'est-ce que tu veux dire par là?

— Bien... Mon pote Corentin t'avoue son amour et tu me laisses flirter avec toi comme si demain n'existait pas!

Si j'étais déjà pivoine... j'ai dû devenir fluorescente!

— C... com... comment tu sais ça?

Il a éclaté de rire.

— Parce qu'il me l'a dit, pardi !

— Quand…

— Avant. Après. Il me parle tout le temps de toi. Mais tu ne sembles pas trop intéressée !

Là, je bouillais !

— Était-ce un test ? Tout… tout ça ?

— Tout quoi, Marie-Douce ?

— Ben… Ça !

Pour être sûre qu'on se comprenne, j'ai pris sa main et je l'ai mise sur ma taille.

— Ça ! C'était pour quoi ?

Il en a profité pour ne pas retirer sa main et me tirer sur lui à nouveau. J'étais hors de moi, confuse et énervée. Il est devenu sérieux d'un seul coup. Il avait cessé de rire.

— C'était pas un test. C'était seulement… plus fort que moi. Veux-tu que j'arrête ? T'as qu'à le dire et je vais te lâcher.

J'ai ravalé ma salive, nos visages étaient si près… J'ai repensé à Corentin et mon cœur s'est serré. J'ai fini par lâcher prise et hocher la tête.

— Oui, arrête. Je suis trop… mélangée. Et puis, de toute façon, je pars dans une semaine, on ne se reverra sans doute jamais. Ça ne sert à rien de…

Je n'ai pas pu finir ma phrase, Lucien m'a embrassée, là, sur le banc de bois, ses deux mains sous mes cheveux, moi assise sur lui. Au bout de quelques secondes, nos lèvres se sont détachées et nos fronts se sont collés.

– Un baiser d'adieu, a-t-il murmuré. Viens, je dois te ramener saine et sauve à ta mère. J'ai promis…

Il a tenu promesse. Nous sommes revenus sur nos pas. Nous avons marché lentement… très, très lentement, en silence, chacun perdu dans ses pensées. Sa main enveloppait la mienne. Ce simple contact me semblait tout à coup interdit, comme si je trichais dans un jeu. Ainsi, Lucien connaissait les sentiments de Corentin à mon égard. Ce n'était pas correct de m'approcher, comme ça. N'a-t-il pas trahi son meilleur ami ?

J'aurai appris une chose importante dans tout ce fiasco : ne pas juger les gens lorsqu'ils semblent se jouer des sentiments des autres. La confusion, le désir de tout vivre sans heurter personne, c'est sournois. Ça vous grimpe dessus sans crier gare. Même une fille comme moi, sage et timide, peut se réveiller un beau matin en amour avec deux garçons.

Mais je n'ai pas le droit ! Que dire à Corentin ?

Tout ce que je peux faire pour l'instant, c'est me réfugier derrière les ordres stupides de mon beau-père, jouer le jeu et attendre que le temps arrange les choses.

Avec un peu de chance, avec les semaines qui passent, Corentin oubliera ce qu'il m'a dit et je n'aurai pas à lui raconter ce qui s'est passé.

La seule bonne nouvelle, dans tout ça, c'est que je ne reverrai jamais Lucien Varnel-Smith. Je n'aurai donc jamais à choisir entre les deux.

Chapitre 31

#frissonsdhorreur

C'est demain que Marie-Douce revient! C'est demain que Marie-Douce revient! C'est demain... Oufff, il faut que je me caaaalmeeeeuh!

Je regarde autour de moi; je dois procéder de façon systématique, sinon, je sens que je vais devenir folle.

- -

⚡ Chambre de Marie-Douce: *Check!* (Incluant avoir ôté mes *posters*, replacé ses bibelots et ses meubles, gros ménage, j'ai même lavé ses vitres!)

⚡ Aspirateur partout dans la maison pour éliminer les poils de chat: *Check!*

⚡ Cadeau de retour pour Marie-Douce: *Check!*

⚡ Donner Dracula à Constance: **Zut!**

- -

Allooo! Laura-la-lune!

J'ai été si préoccupée par la petite mise en scène d'Alexandrine que j'en ai oublié que je devais remettre Dracula à Constance, hier! Moi qui avais besoin de quelques jours de pause de toutes mes copines pour réfléchir! Je ne voulais pas avoir à faire face à Constance avant d'avoir fait mon choix.

La décision peut sembler facile au premier abord. Oh oui! Sauf qu'il y a plusieurs choses à considérer.

Le petit ange debout sur mon épaule droite ne cesse de crier : « *Ben voyons donc, Laura ! Constance et Samantha ont été là pour toi depuis le début de ta descente aux enfers et maintenant, tu hésites à les choisir ? Alexandrine Dumais est barbare ! Elle est méchante de te forcer à renier tes amies les plus gentilles et précieuses !* »

Sur mon épaule gauche, un petit diable crie encore plus fort : « *Allooooo, la grande ! Alexandrine est BEN PLUS cool que ces deux filles-là ! Constance est toujours si sage, si terne, arrrrk ! Et Samantha, doit-on en parler ? Elle parle fort, elle dérange, elle est souvent niaiseuse et fait des tonnes de gaffes qui affectent ta vie sociale ! Combien de fois t'a-t-elle fait honte depuis que tu la fréquentes ? Innombrables ! En plus, as-tu idée de ce qui t'attend si tu deviens l'ennemie d'Alexandrine Dumais ? La fille a des pouvoirs, c'est une sorcière ! Tu pourrais te réveiller un matin avec une tonne de malheurs ! N'oublie pas qu'elle n'a pas détruit ta poupée !* »

Les antipodes de ma conscience marquent des points solides. Constance et Samantha ne méritent pas que je les laisse tomber comme de vieilles chaussettes. Cependant, Alexandrine me terrifie. C'est une médium-sorcière ! J'ai la nette impression qu'elle est derrière ma série de malheurs. Que la poupée qu'elle avait faite de moi a eu un effet sur Corentin et l'a fait virer cinglé au point de me trahir!

STOP! Voyons donc! Ce genre de déduction, c'est du gros n'importe quoi! Ce qui m'est arrivé avec Corentin et Marie-Douce, j'avais moi-même couru après. Aucune incantation devant un jouet à mon effigie n'aurait pu y changer quoi que ce soit.

Mais si elle avait de vrais pouvoirs? #frissonsdhorreur

Je dois choisir Constance et Samantha. Il n'y a pas d'autres possibilités! Et puis, il y a Samuel de ce côté-là de mon univers.

C'est difficile. Avec Alexandrine, c'était *tripant*. Elle est sincère et intense en amitié. Elle aurait décroché la lune pour moi. Je n'ai qu'à regarder à quel point elle a pris soin de Clémentine, même dans ses heures les plus noires, pour comprendre qu'Alex se donne à fond. Ce qui m'inquiète le plus, c'est qu'elle sache chacun de mes petits secrets. Je lui en ai confié plusieurs. Je n'ai même pas mémoire de tout. Avec ce qu'elle sait, elle possède une multitude de munitions pour détruire ma réputation. Et qu'ai-je appris sur elle, à part le fait que sa mère lit son journal intime? Alex n'a fait que parler des autres, jamais d'elle-même. Zut! Je suis idiote! J'aurais dû être plus prudente!

Que faire... que faire... que faire...?

Voilà qu'on sonne à la porte.

— Laura ! C'est Constance !

Double zuuuut !

— J'arrive !

Dracule est sur le divan du salon, une prise facile, parlez-moi de ça. Je saisis le chat sous son ventre, il se recroqueville autour de ma main. D'un mouvement leste, je le retourne pour le placer entre mon bras et ma poitrine tel un bébé.

— Salut, dit Constance d'une voix neutre et sans sourire.

Le chat se tortille lorsque je le glisse dans sa cage pour le transport.

— Salut. Tiens, et merci encore.

— De rien, dit-elle en saisissant la cage.

Ma mère arrive derrière moi avec un sac de bouffe pour chat et une litière propre.

— Est-ce que ta mère est avec toi en voiture ? demande-t-elle à Constance.

— Oui…

— Parfait ! Laura, va porter ceci à la mère de Constance, dit-elle en me chargeant les bras de son fardeau.

— Veux-tu venir pour voir comment il s'adapte ? demande mon amie (ex-amie ?).

Je MEURS d'envie d'y aller. Mon pauvre Dracule, il aura besoin de sa maman (moi) pour se sentir en sécurité dans sa nouvelle maison!

– Non… merci… Ça me fait déjà assez de peine comme ça.

Belle improvisation mixte ayant pour titre : on cherche des excuses pour ne pas avoir à parler à Constance des événements de la veille!

Toujours aussi gentille, Constance hoche la tête.

– Bien sûr, je comprends. Tu viendras plus tard, alors?

Mon cœur se meurt! Je vois dans le regard de Constance tout l'espoir du monde que je ne choisisse pas d'aller vers Alexandrine-la-diabolique.

– Oui… plus tard. Merci encore, Constance.

– De rien.

Elle semble hésiter.

– Euh… c'est demain que Marie-Douce revient de Paris?

– Oui, c'est demain matin.

– Cool. Tiens-moi au courant.

– Sans faute…

Chapitre 32

Attention,
un monstre à l'horizon

J'avais trois valises quand je suis arrivée en France. Miranda et moi avons tant « shoppé » que j'en aurai besoin d'au moins trois autres. Du coup, ça me fait penser à quel point mon retour sera un choc pour mes amies.

J'ai beaucoup changé depuis le mois de mai ! J'ai grandi de plusieurs centimètres, ma poitrine s'est formée et… ô miracle, mes règles sont ENFIN arrivées. Pour être honnête, je ne sais pas pourquoi j'avais si hâte, quelle sensation atroce avec les crampes entre autres désagréments. Malgré tout, je suis soulagée. Je suis bel et bien normale et lorsque les filles auront ces fameuses conversations sur le sujet, je ne serai plus celle qui cherche à faire semblant de comprendre et qui prie le ciel pour que personne ne lui demande « Et toi, Marie-Douce ? Aimes-tu mieux les Kotex ou les Always ? » Désormais, je pourrai répondre avec assurance : « Kotex ! » Voilà, affaire classée !

Nous sommes samedi, le grand départ, c'est demain, première heure. Mon cœur pédale comme un fou rien qu'à y penser. J'ai hâte de voir mon père, Nathalie, Trucker, Constance et même Samantha ! Ses questions candides (OK, parfois stupides) et ses commentaires abrupts m'ont manqué !

Surtout, il y a Laura. Avec la façon dont nous nous sommes laissées, notre réunion peut se révéler difficile. Le pire est à prévoir. Elle doit me détester. Elle en aurait tout à fait le droit. Ne l'ai-je pas laissée pleurer comme une Madeleine sans me retourner ? Certes, j'étais sous l'emprise de Valentin, mais le fait reste le même. C'était poche.

Tant d'histoires se sont passées depuis mon départ ! Laura aura eu le temps de passer à autre chose. C'est drôle, j'ai peur qu'elle m'ait oubliée. Loin des yeux, loin du cœur… Une chose est certaine, elle n'a jamais été bien loin de mes pensées tout au long de mes aventures de l'autre côté de l'Atlantique.

En invitation muette à Corentin, je n'ai pas fermé la porte de ma chambre. Ça suffit la cachette, il faudra bien un jour ou l'autre que je lui parle. Vêtue de jeans et d'un chemisier blanc signés Ralph Lauren (ouais, ma garde-robe ne sera plus jamais la même !), je tourne donc le dos à une porte grande ouverte sur le couloir. Sa chambre n'est pas loin. Il n'aura pas d'autre choix que de passer devant la mienne pour aller à la cuisine.

– Bonjour.

Je ferme les yeux l'espace d'une seconde ou deux. Déjà là ? Dieu merci, il me parle encore.

– Salut. Bien dormi ?

Ma voix est rauque. Ce sont les premiers sons que je produis de la journée. Je racle ma gorge et ça me fait avoir l'air nerveux.

– Oui. Je peux entrer ?

Sans attendre ma réponse, il s'avance et s'assied sur mon lit, à gauche des trois valises encore ouvertes et pleines à ras bord. Il sourit.

– J'ai de la place dans mes bagages, je t'apporterai un ou deux de mes sacs.

– Ouais… Ma mère a fait quelques folies.

– C'était à prévoir. Ça t'a beaucoup changée. Euh… je veux dire, tu as de l'allure, maintenant. Euh… arrfff, ça ne sonne pas pareil en québécois.

– Je sais ce que tu veux dire, Corentin. Merci, c'est gentil.

Un silence se dresse entre nous. C'est terrible, ce malaise palpable.

– Je dois te parler de Lucien…

Ma tête se relève si vite que je manque de me faire mal au cou.

– Qu'est-ce qu'il a, Lucien ?

Oh, j'essaie de maintenir une voix normale. J'essaie fort, fort. Est-ce que je réussis ? J'en doute.

– Écoute, Marie, j'ai passé la semaine avec lui. Tu étais un sujet tabou, il refusait de parler de toi. Est-ce que tu… vous…

— Non !

Il me lance un regard grave. Il sait.

— Lucien, c'est un « tombeur ». Tu sais ce que c'est un « tombeur », Marie ?

— Un gars qui *cruise* toutes les filles ?

— Ouais… c'est ça. Il sait avec précision quoi dire, quoi faire et quand le faire pour que les meufs en soient dingues. Il n'a même pas à réfléchir, c'est dans son sang. Et tu sais quoi d'autre ?

— …

— Il a même déjà séduit des filles plus âgées. Tu sais ce que ça veut dire ?

— …

— Marie… je sais que tu me fuis depuis que… je t'ai dit ce que je t'ai dit l'autre soir. C'est bon, j'ai compris. Je ne suis pas con. Mais je t'en prie, ne craque pas pour un mec comme Lucien. Il n'est pas pour toi.

Pourquoi faut-il que je sois incapable de retenir mes larmes dans un moment pareil ? Corentin va croire que je suis en peine d'amour à cause de Lucien Varnel-Smith !

N'est-ce pas justement le cas ?

— T'en fais pas, dis-je en lui cachant mes joues humides de larmes avec mes cheveux. De toute façon, je ne le reverrai jamais puisqu'on s'en va demain !

Voilà que Corentin hausse les sourcils. Pourquoi est-il surpris ?

— Ta mère ne t'a rien dit ?

— À quel sujet ?

Il se relève, glisse ses mains dans les poches de son jeans en marchant vers le couloir. Juste avant de passer le cadre de ma porte, il s'arrête.

— Lucien sera chez nous à Vaudreuil-sur-le-Lac d'octobre à janvier. Une idée manigancée par ta mère et Jessica Varnel. Il se trouve que les parents de Lucien souhaitent que leur fils goûte à la discipline de mon père et sorte de son milieu de petits monstres gâtés. C'est « *le fun, han* » ? ajoute-t-il en imitant mon accent québécois.

Je pense que tout le sang de mon corps a dû descendre d'un seul coup à mes pieds, gonflant au passage mes orteils. Est-ce un étourdissement qui fait bourdonner ma tête ? Je prends une grande inspiration pour maintenir mon équilibre. Corentin ne doit pas savoir à quel point cette nouvelle m'affecte.

— Euh... oui... Tu dois être content, t'auras ton meilleur ami avec toi. Il va venir à la Cité-des-Jeunes ?

— Ouaip. Il viendra ravager les cœurs de toutes les filles de la salle F. Ce sera un vrai carnage.

— Arrête, on dirait que tu parles d'un monstre.

Il émet un rire sec en secouant la tête.

— Parce que c'en est un. Je t'apporte des sacs.

— Merci…

À la seconde où Corentin est hors de mon champ de vision, je ferme ma porte et me lance sur le lit, la face dans un oreiller moelleux pour y crier à m'en fendre l'âme toute la panique qui m'habite.

Chapitre 33

Un revenant

– Maman ! Je ne trouve pas le cadeau pour Marie-Douce !

Hugo agite déjà ses clés de voiture et je ne suis pas prête ! Ça fait vingt minutes que je tourne en rond. J'ai demandé de l'argent à maman pour faire imprimer un nouveau chandail de Duran Duran pour Marie-Douce. Parce qu'ils ne sont pas à la mode, ils sont super rares. J'ai donc dû prendre les grands moyens. Comme pour mon autre T-shirt à l'effigie de ce groupe britannique des années 80, j'ai cherché sur Internet. J'ai repéré une image de Simon Le Bon et de sa bande que j'ai fait appliquer sur un T-shirt noir à la taille de Marie-Douce. Ce n'est pas du « fait maison », mais l'effort est le même. Je me suis donné pas mal de trouble, mettons. C'est ma façon de lui dire que je suis fière d'elle, que ça ne me dérange plus qu'elle ait des choses en commun avec moi. Que je l'aime…

Aarrgh ! Je suis *ner-veuse*.

La voix d'Hugo m'interpelle de nouveau.

– Laura ! Il faut y aller ! Leur avion atterrit dans moins d'une heure !

– Maman ! Aide-mooooiiii !

– Je vous attends dans la voiture ! lance Hugo.

– Laura ! As-tu regardé dans tes tiroirs ? demande ma mère du rez-de-chaussée.

Pourquoi l'aurais-je mis dans ma commode ? Ce n'est pas MON chandail !

— Il ne peut pas être là ! dis-je d'en haut des marches.

— Regarde quand même !

Je marmonne en retournant à ma chambre. De quelques gestes brusques, je tire les poignées de métal. Pas là... ce sont mes bobettes. Passons à l'autre... mes T-shirts ! Si je l'ai placé quelque part par inadvertance, ce serait là ! Zut ! Que du noir... il faut les déplier un à un ! Qu'à cela ne tienne ! J'empoigne tous mes chandails et je les lance sur mon lit. À deux mains, je les déplie tous, les laissant pêle-mêle sur ma couette couleur lime. Moi qui avais hâte de montrer ma nouvelle chambre à Marie-Douce, voilà un beau bordel.

Tout à coup, j'aperçois l'œil de Simon Le Bon. BINGO ! Le voilà ! Zut, c'est mon autre chandail. LE chandail qui nous a causé tant de problèmes. Mais... n'avais-je pas décidé de le porter ? Soudain, j'ai un doute. Je me déplace vers le miroir.

Zut et encore zut ! JE porte LE chandail que je voulais offrir à Marie-Douce. Comment puis-je être aussi distraite ! Il pouvait bien être un peu serré ! Du coup, j'ai pensé que c'était parce que j'avais grandi !

D'un geste vif, je retire le chandail-cadeau et je revêts le mien. Je lisse le nouveau d'une main énergique, elle ne remarquera pas que je l'ai porté. Où sont le petit sac rose et le papier de soie?

— Laura! Qu'est-ce que tu fais? s'écrie ma mère.

— J'arrive!

Seigneur! Je dois retrouver le sac-cadeau! Je l'avais acheté exprès pour ça!

Biiiip! biiiip!

J'entends un bruit de moteur, une voiture en mouvement qui semble sortir de notre stationnement. Je n'y crois pas! Partent-ils sans moi? Nooon! C'est impossible.

Juste comme la sueur commence à perler à mon front, ma porte de chambre grince pour s'ouvrir sur ma mère.

— Hugo est parti sans nous?

Elle hoche la tête, les mains sur les hanches.

— Je lui ai dit qu'on se rejoindrait là-bas. As-tu trouvé le T-shirt?

— Je cherche le sac pour Marie-Douce…

— Il est en bas, sur la table de la cuisine. Viens. J'ai des commissions à faire en chemin. Dépêche-toi.

Ma mère nous conduit dans sa petite Honda Civic rouge, d'abord chez le fleuriste, ensuite au guichet automatique. Je grince des dents, elle le fait exprès ou quoi ? On n'arrivera jamais au même moment que Hugo à l'aéroport !

Puis, comme si avoir perdu du temps pour des niaiseries n'était pas suffisant, un terrible BANG résonne dans la voiture par-derrière. Nous sommes au feu rouge juste avant d'arriver au viaduc qui mène à l'autoroute. Je suis secouée, mais y a pas de mal.

— Laura ! Est-ce que ça va ?

— Oui ! On peut y aller ! *Go* ! On est en retard !

Ma mère me fait un air désolé en soupirant. Qu'est-ce qu'elle fait ? Il faut y aller ! Pourquoi détache-t-elle sa ceinture de sécurité ?

— Je dois aller voir les gens derrière nous.

— Mamaaaan ! Non ! Tout est correct, arrête de perdre ton temps !

— On ne sait même pas si les gens dans l'autre voiture sont blessés. Je dois aller voir. J'ai oublié mon cellulaire à la maison. Je ne peux même pas appeler Hugo pour lui dire qu'on est en retard…

— Tu me niaises ?

— Je suis très sérieuse.

Ma mère sort de la voiture. J'entends des portières qui s'ouvrent et se referment. Des pleurs de bébé m'indiquent qu'un enfant était dans l'autre auto. Je me retourne pour regarder la scène par la lunette arrière.

Un homme se tient devant ma mère, il est grand, cheveux bruns, son visage est familier... Je dois rêver.

Je me pince le bras.

Ce n'est pas possible. Juste pas possible !

Chapitre 34

Intuition féminine

Durant le vol Paris-Montréal, Corentin et moi visionnons deux films, jouons au paquet voleur et dormons autant que nous le pouvons. Ce trajet est interminable, mais aura eu pour effet de dissiper la tension qui nous séparait. Avec cette proximité forcée, le naturel de nos rapports amicaux est revenu presque à la normale. La seule différence, c'est cette façon que nous avons de faire attention à tout ce que nous disons. Une espèce de politesse s'est installée entre nous, comme si nous marchions sur des œufs.

Nous descendons de l'avion presque en courant, au son de la voix de Miranda qui nous crie : « N'allez pas trop vite, attendez-nous ! »

Nous l'ignorons, comme d'habitude. Depuis près de quatre mois que nous l'avons sur le dos, à nous dire quoi faire et ne pas faire, nous sommes désensibilisés à ses demandes incessantes.

– Tu crois que Hugo et Nathalie m'adopteraient ? me demande Corentin avec un demi-sourire alors que nous nous glissons dans la file d'attente.

– En demandant gentiment, peut-être… dis-je en souriant.

Après avoir traversé toutes les étapes et recueilli nos valises pour ENFIN arriver à la sortie, là où Laura, Nathalie et mon père doivent nous accueillir, je fouille la foule des yeux pour les trouver. Une tête aux cheveux rasés attire mon attention. Papa! Ah! il est beau mon père! Mais il a une drôle de mine… et il est… seul?

Mon cœur se serre. Laura n'est pas avec lui. Ni Nathalie! En une fraction de seconde, une ribambelle de pensées tragiques m'assaille. Où sont-elles? Serait-ce possible que mon père et Nathalie se soient séparés durant l'été et qu'ils n'aient pas voulu gâcher mon voyage en me l'apprenant?

Mes souvenirs déboulent. Sur Skype, je n'ai vu que mon père lors des quelques dernières fois où nous nous sommes parlé. Nathalie n'y était pas, et Laura n'y était jamais. Pourquoi d'ailleurs? Elle ne voulait pas me parler, c'est pour ça. Comme je le craignais, elle a regretté sa dernière réaction avant mon départ.

Au fond, mon voyage l'a soulagée! Elle a peut-être profité de mon absence pour transformer ma chambre et la mettre à son goût à elle! A-t-elle trouvé mes poupées de porcelaine en fouillant dans mes affaires? Si c'est le cas, elle a dû se tordre de rire.

Mon père marche vers nous d'un pas assuré, mais son sourire est figé. Je sais qu'il se force pour avoir l'air naturel. J'accours vers lui, et je vois des larmes qui perlent à ses yeux.

– Ma douce !

Il me serre dans ses bras en me faisant tourbillonner de toute sa hauteur, mes pieds ne touchent plus le sol. Autour de nous, les gens s'arrêtent pour sourire. Puis, au bout de longues secondes, papa me dépose.

– Où sont Laura et Nathalie ?

Il regarde sa montre, l'air inquiet.

– Nathalie était censée me suivre avec sa voiture, je ne comprends pas qu'elles ne soient pas là et elle ne répond pas à son cellulaire.

– C'est possible qu'elle ait eu du mal à trouver un stationnement…

– Peut-être…

– Ta blonde n'est pas là ? fait la voix de Miranda derrière nous. Valentin demande de l'excuser, il est pris avec des journalistes qui l'assaillent. C'est fatigant à la fin… Avec cette histoire de télésérie québécoise qui s'annonce, on n'aura plus jamais la paix !

Corentin secoue la tête, l'air blasé. Miranda aime faire celle qui déteste la célébrité de son nouveau mari. Nous l'avons constaté à plusieurs reprises, Corentin et moi, jusqu'à ne plus faire attention.

— Maman, je vais rentrer avec papa, d'accord ?

— Mais, mon trésor, nous avons un souper avec des amis de Valentin à la maison !

— Miranda, je crois que Marie-Douce aimerait passer du temps avec son père, intervient Corentin, mon sauveur.

Mon père est vif, son regard passe de moi à Corentin.

— Tu veux venir avec nous, Corentin ?

Ce dernier me consulte du regard. Je vois qu'il a envie de nous suivre et de s'échapper des griffes de sa nouvelle belle-mère. Je lui envoie un sourire complice.

— C'est pas de refus, monsieur Bissonnette.

— Appelle-moi Hugo. Miranda, tu peux retourner à ton nouvel époux, je me charge de ces deux-là !

MERCI, PAPA !

Pauvres Corentin et papa ! Je passe le trajet entier à babiller comme une enfant de trois ans qui veut raconter ses aventures d'un seul souffle. « J'ai visité le collège de Corentin, il y a une statue immense qui avait perdu la tête ! J'ai monté dans la tour Eiffel. J'ai rencontré des vedettes ! Tu savais que le père de Corentin connaissait l'agent des gars de Full Power ? Non ? Ben, moi non plus ! Pas que je les aime, là, woh… mais Harry est très sympa-thique. Merci de m'avoir appris à parler anglais quand j'étais petite ! J'ai pas eu l'air trop épaisse. »

Blablabla… C'est moi, ça. *Tout-le-long.* C'est comme si, parce que je ne suis plus dans cet univers surréel, la réalité de ce que j'ai vécu me frappait d'un seul coup et que je devais TOUT dire à mon père.

OK… peut-être pas tout…

Corentin est un ange, il ne dit pas un mot, ni ne roule les yeux au ciel. Il sourit, juste parce qu'il semble heureux d'être là. C'est d'ailleurs la première fois depuis ce fameux samedi à la suite de sa déclaration d'amour que je le vois aussi détendu. Je suis soulagée. Je peux enfin recommencer à respirer en sa compagnie.

À notre arrivée, nous découvrons la voiture de Nathalie garée dans l'entrée avec une bosse évidente sur le parechoc arrière. Papa blêmit et serre si fort son volant que ses jointures en sont blanches. Sa mâchoire se contracte et il me fait signe de me taire. Il freine avec tant de rudesse derrière la petite auto rouge que Corentin et moi en sommes secoués telles des poupées de chiffon. À côté de la voiture de Nathalie, dans notre entrée, une Jeep vert kaki est stationnée.

Chapitre 35

Malheur numéro 6

Une heure plus tôt

Ce n'est pas possible. Juste pas possible !

J'ai beau cligner des yeux, fermer les paupières pour les rouvrir cinq fois d'affilée, il est toujours là.

Papa.

Il n'y a aucun doute, c'est lui. Mon cœur se met à battre la chamade, ma respiration est saccadée, je perds le contrôle de mon propre souffle ! Alarmée, j'ouvre la portière pour avertir ma mère. Je suis en pleine crise d'asthme, j'ai besoin de ma pompe, mais je ne l'ai pas. Je l'ai toujours sur moi, mais là, avec tout l'énervement du cadeau pour Marie-Douce, le stress d'arriver à temps, j'ai oublié de la glisser dans mon sac.

— Oh, mon Dieu, Laura ! Où est ta pompe ?

— À… la… mai… son…

— Allez-y, je vous suis ! s'exclame mon père de sa voix grave assurée.

Il pose un regard inquiet sur mon visage. Mon père qui s'en fait pour moi, il y a bien longtemps que je n'ai pas vu ça.

Je suis passée maître dans l'art de gâcher les belles réunions familiales dont on aurait pu faire une super vidéo pour YouTube. Pas de gros câlin entre le bon soldat et sa fille qu'il n'a pas vue grandir. L'instant magique est raté.

De un, je n'étais pas préparée à LE voir, tout ce que j'avais en tête était de retrouver Marie-Douce et Corentin au plus vite. De deux, l'accident m'a énervée ! De trois, je ne peux plus respirer. Quand la malchance s'y met, ce n'est pas joyeux !

De retour à la maison, ma pompe entre les mains, plusieurs minutes me sont nécessaires pour me calmer et recouvrer la pleine capacité de mes poumons. Une fois calmée, je peux enfin relever les yeux vers mon père.

— Bonjour Laura…

Il s'approche pour me tendre la main à la manière d'un homme d'affaires qui rencontre un client. Ma déception décompose toute la joie que je devrais ressentir à le voir devant moi. Dans mes rêves, il ouvrait les bras tout grands pour m'y accueillir. J'avais presque oublié que mon père était comme ça : froid et rigide.

Il n'est pas comme dans mes derniers souvenirs de lui, il ne porte pas d'uniforme. Il est vêtu d'un pantalon gris, d'une chemise blanche et de souliers de cuir. C'est tout de même à son image : rigide et austère.

— Bonjour… Pourquoi es-tu habillé comme ça ? Où sont tes grosses bottes noires ?

Mon père jette à ma mère un regard incertain. Elle lui fait un signe du menton, l'air de dire « vas-y, explique-toi ! ».

– J'ai quitté l'armée.

Mon cœur fait trois tours !

– T'es revenu pour de bon ?

Il se racle la gorge, posant un index entre la peau de son cou et son col de chemise. Est-ce de la transpiration sur son front ?

– Oui…

– Nous allons déménager ?

Je pose cette question spontanément, mes yeux passant de ma mère à mon père.

MON RÊVE SE RÉALISE !

Je ne suis pas certaine de toujours souhaiter ce dénouement, mais comme c'est inespéré, j'ai un moment de joie intense, oubliant pendant un instant la bonté d'Hugo et mon amitié pour Marie-Douce.

Mon père et ma mère sont dans une même pièce en même temps, il a quitté l'armée, c'est la suite logique des choses !

Dans ma tête, en tous cas…

Un pleur d'enfant capte mon attention. Cette même petite voix que j'ai entendue sur les lieux de l'accident. Ça provient de dehors. Je dévisage mon père et ma mère, laquelle couvre sa bouche et son menton d'une main nerveuse.

Sans cesser de me regarder droit dans les yeux, mon père répond :

— Non, Laura. Tu ne déménageras pas. J'aurais préféré attendre et faire les présentations dans un contexte mieux préparé, mais étant donné les circonstances, il vaut mieux que ce soit fait maintenant.

— Quoi ? Quelles présentations ?

Mon père détourne le regard. Je sens mes jambes devenir molles comme de la guenille

— Martine, tu peux entrer…

Une jeune femme aux longs cheveux châtains fait son apparition derrière la moustiquaire de la porte d'entrée. Maman lui ouvre la porte parce que la visiteuse a dans les bras un… bébé ! Un poupon de quelques semaines à peine !

Il y a une pré-ado de trop dans ce beau portrait de famille !

Aussi, faire un bébé, ça prend environ neuf mois, non ?

— Ça fait plus d'un an que t'es revenu ?

Un long silence se plante entre ma question et sa réponse.

— Non. J'ai connu Martine là-bas… sur le terrain. Elle est militaire, elle aussi.

Il agite la main pour inviter « Martine » à s'approcher. Une belle femme, de toute évidence, mais elle n'arrive pas à la cheville de maman.

– Martine, ma nouvelle épouse et notre…

– Je ne veux pas le savoir ! Je ne veux pas les connaître !

J'ai la nausée.

Le voilà, le malheur numéro 6 !

On dirait que mon cœur se brise en mille morceaux. Mon père qui s'est refait une nouvelle famille dans notre dos. Maman le savait-elle ? Je suis certaine que oui puisqu'elle n'a pas bronché devant le fait accompli. Elle aurait donc préféré ne rien me dire pour me protéger.

Je monte en courant dans ma chambre, je ferme la porte avec force pour ensuite me laisser glisser contre le mur et atterrir en position assise sur le bois franc.

Je me sens trahie, laissée pour compte et oubliée par mon propre père.

Il m'a remplacée.

Alexandrine avait donc raison… le 2 de pique est arrivé ! C'est mon père !

Chapitre 36

Peur, confusion et autres sentiments agréables

Je n'ai jamais vu mon père aussi énervé. Avant d'entrer dans la maison, il scrute les parechocs abîmés des deux véhicules avant de rugir plusieurs mots pas très jolis. Mon père ne sacre pas souvent, mais quand il le fait… c'est le chapelet au complet! Il doit y avoir quelque chose de grave.

Corentin se tourne vers moi, son regard bleu plein de questions.

— Tu reconnais cette Jeep? demande-t-il. C'est un style très militaire!

— Non, mais vu la réaction de papa, j'ai une idée de ce qui se passe!

— Tu crois que…

— Je pense que c'est peut-être le père de Laura! Remarque que je peux me tromper, mais j'ai cette impression étrange…

— C'est bizarre… j'ai la même sensation. Qu'est-ce qu'on fait?

— Suivons-le! Je ne veux pas manquer une seule seconde de ce qui va arriver.

D'un geste simultané, nous descendons de la voiture. Les valises attendront, nous avons une scène intense à espionner!

***

Avant d'entrer, nous imitons mon père et cherchons à trouver ce qui l'a mis hors de lui lorsqu'il a examiné les voitures. Le parechoc de la Jeep est aussi endommagé que celui de la Honda rouge de Nathalie. Ha, ha! Une collision entre les deux... Était-ce voulu?

Mon imagination n'est pas longue à s'activer. Le père de Laura aurait entamé une poursuite dangereuse de la petite Honda de Nathalie. Celle-ci, apeurée, aurait refusé de s'immobiliser et il lui aurait rentré dedans pour l'obliger à le faire. Ensuite, il les aurait kidnappées! Et il les aurait ramenées chez elles? Ha, ha! Mon histoire n'a aucun sens!

Il n'y a qu'une seule façon de savoir: aller voir ce qui se passe à l'intérieur.

Dans la maison, il y a une femme, un bébé, un inconnu aux cheveux bruns, bâti comme un lutteur, et mon père, les mains sur les hanches qui parle tout bas à Nathalie.

Aucune trace de Laura.

L'atmosphère est lourde, c'est épouvantable. Nous tentons d'être discrets, mais un coup de vent fait claquer la porte. Ils se retournent tous dans notre direction. Chaque visage est sérieux et le bébé pleure. J'aurais voulu aller embrasser Nathalie, j'avais si hâte de la voir…

– Vous deux, en haut, tout de suite ! s'écrie papa.

Nous obéissons sans broncher. Au passage, je toise les visiteurs de haut en bas. L'étranger qui me dévisage d'un air dur ressemble à Laura. Leur regard est le même. Noir et intense, il me donne des frissons.

***

À l'étage, je constate que la porte de ma chambre est entrouverte. Je fais signe à Corentin de me suivre. Il n'est jamais venu ici. C'est bizarre que Laura ne l'ait jamais invité ! Ah oui, c'est vrai, elle ne voulait pas que je lui parle. Drôle comme les choses changent en quelques mois.

– Tu crois qu'elle est là ? chuchote Corentin.

Je hausse les épaules. J'espère la retrouver au plus vite, j'en ai les mains qui tremblent. J'ai hâte de savoir dans quel état notre relation sera, lorsque nous aurons notre premier face à face. À en croire ses derniers mots quand je suis partie, elle m'attend aussi, mais comme elle a refusé de me parler sur Skype… je ne sais plus.

Et puis, pourquoi n'est-elle pas avec son père? J'aurais imaginé des retrouvailles émotives, une embrassade à n'en plus finir, des éclats de joie! Au lieu de ça, on dirait que notre salon s'est transformé en tombeau et que quiconque osera parler sera maudit.

Je fais signe à Corentin de me suivre dans ma chambre. En ouvrant la porte, je m'attends à y voir deux lits, des *posters* de monstres et les affaires de Laura qui traînent un peu partout. Je retiens mes larmes et mon souffle lorsque je découvre une réplique exacte de ma chambre «d'avant». C'est comme si Laura n'avait jamais existé! Du coup, mon cœur se vide, je ne comprends plus rien!

Je prends une grande inspiration pour réfléchir. Son père est en bas avec ce qui semble être sa nouvelle famille et Laura ne partage plus ma chambre.

— Elle est partie! Elle a disparu pour de vrai!

Corentin plisse les paupières, il semble réfléchir à toute vitesse.

— Si c'est le cas, c'est qu'elle est partie vivre chez son père. Alors, pourquoi il est en bas, sans elle? T'es sûre que c'est bien son père? C'est peut-être son oncle? Elle m'en a parlé souvent.

Confuse à l'extrême, je m'assois sur mon lit. Il ne faut pas tirer de conclusion trop rapide. Mais c'est difficile de ne pas deviner l'évidence puisque ses affaires ne sont plus là !

Au moment où je vais éclater en sanglots, une ombre se glisse derrière Corentin.

Chapitre 37

Une fugue pas ben, ben loin...

Je suis sortie par la fenêtre de ma nouvelle chambre. Facile, elle donne sur un appentis qui lui débouche sur un support à plantes grimpantes. J'ai ma propre petite échelle privée. Comme dans les films, ils ne trouveront qu'une fenêtre ouverte avec le rideau qui virevolte au vent. Et pas de Laura…

J'ai besoin de respirer, de courir et de réfléchir. Je marche longtemps. Je dépasse l'école pour me rendre d'instinct chez Constance. Au diable Alexandrine Dumais ! Mon choix est fait ! Constance est l'amie dont j'ai besoin. C'est là que mes pas m'ont menée, je le prends comme un signe du destin. J'ai besoin de serrer Dracula dans mes bras. Il n'est parti qu'hier et déjà, il me manque.

À mon arrivée devant sa petite maison en briques rouges, je vois Constance sortir avant même que je n'aie à sonner. Cette fille me fascine, on dirait qu'elle a un sixième sens. Des petits incidents, çà et là, me font croire qu'elle a un don de voyance.

— Lauraaaaaaa ! Es-tu correcte ?

Je hausse les sourcils. Voilà qu'elle le fait encore ! Comment sait-elle que je vis une journée atroce ? La sorcière, finalement, ce n'est pas Alexandrine, c'est Constance Desjardins !

— Non. Je peux voir Dracule ?

— Oui, bien sûr, entre.

Voilà Dracule qui arrive en courant. Il me reconnaît, mon petit minou d'amour ! Il se frotte contre ma cheville, mais n'a pas à me faire du charme très longtemps, je l'enlace avec joie et porte sa tête à ma joue.

— Salut, mon bébé. Ça va bien ?

— Tu peux aller dans ma chambre avec lui, on va te laisser tranquille.

— OK, merci, Constance.

— Après, tu vas me dire pourquoi t'es tout à l'envers ?

Je fais oui de la tête avant d'aller me cacher dans la pièce mauve au fond du couloir.

À son sourire éclatant, je crois que Constance a compris qu'Alexandrine Dumais pouvait bien aller se faire voir...

***

Je raconte tout à Constance. De l'accident jusqu'à la surprise de voir mon père apparaître dans ma vie avec un grand *boom* !

— Le bébé, c'est un garçon ou une fille ?

Elle est assise au bout de son lit et moi, chat sur les cuisses qui ronronne à tue-tête, je suis calée entre ses millions de coussins mauves. Sa chambre est toute, mais alors là, VRAIMENT toute mauve. Les murs, les plafonds, son couvre-lit, ses rideaux… Il n'y a que le plancher qui ait échappé à la couleur préférée de mon amie.

— Sais pas, m'en fiche !

— Laura… On parle de ton frère ou de ta sœur, là. C'est important, non ?

Je lâche Dracule pour me prendre la tête à deux mains. Je n'avais pas considéré les choses de cette façon. Tout ce que j'ai vu, c'est une intruse qui s'appelle Martine et un petit être braillard dans ses bras. Il ne m'est jamais venu à l'esprit de demander son prénom ni même son sexe. Vus de ma position, ils sont de trop, point final.

— Pourquoi es-tu si triste ? me demande-t-elle. Moi, j'adorerais apprendre que j'ai une petite sœur ou un petit frère.

— Ah oui ? Si ton père avait un enfant avec une autre femme alors que tu es convaincue qu'il aime ta mère, tu serais contente ?

Elle plisse les yeux et réfléchit quelques secondes.

— Ouais, mis de même, peut-être pas.

— C'est ça que je disais, dis-je en croisant les bras.

— Mais je croyais que t'étais heureuse, maintenant, avec Hugo et Marie-Douce.

— Avec Hugo, oui ! C'est un bon beau-père. Il est drôle et gentil, ma mère est heureuse. Avec Marie-Douce, ça reste à voir. J'étais censée l'accueillir aujourd'hui. Elle doit être déjà à la maison à l'heure qu'il est. J'avais si hâte ! Mon père et sa petite famille ont tout gâché !

— Attends, je suis confuse, là. T'étais pas contente de revoir ton père ?

— Non ! Oui… Ah ! Je ne sais plus ! Pourquoi est-ce qu'il fallait qu'il revienne dans ma vie aujourd'hui, han ?

— Je ne sais pas. Le destin, je dirais.

— Ben, le destin est idiot.

— Parfois oui, t'as ben raison.

— Pfff…

— Ta nouvelle famille, ils sont partis ?

— Sais pas… me suis enfuie par la fenêtre de ma chambre.

— Laura ! s'exclame Constance, scandalisée. Tu les as tous laissés poireauter ?

— Mon père m'a bien laissée poireauter des années, lui.

— Bien vrai !

— Et tu sais quoi ? Je pense que si c'était pas du hasard d'avoir eu un accrochage avec la voiture de ma mère, il aurait jamais cherché à me voir.

Le visage de Constance se décompose. Elle est triste pour moi.

— Oh ! Laura ! Dis pas ça. Un papa ne peut pas oublier sa princesse !

— Pfff, parle pour toi. Ce ne sont pas tous les pères du monde qui s'occupent de leurs enfants, t'sais.

— Heille, Marie-Douce doit être en train de te chercher !

— Ah, je sais pas, Constance. Quand je lui ai demandé pardon, elle s'est même pas retournée. Elle est partie sans me regarder. Pas sûre qu'elle me cherche. Une chose est sûre, elle sera heureuse de ne plus partager sa chambre avec moi.

Constance devient silencieuse, elle plisse les lèvres comme une fille qui doute.

— Tu lui as demandé pardon ?

— Oui, j'ai même crié pour qu'elle ne parte pas avec sa mère.

Elle me dévisage avec des yeux de grenouille.

— Tu m'as pas raconté ça !

Je soupire. Je viens de me rappeler que je n'avais rien raconté à Constance de cette dernière scène horrible du départ précipité de Marie-Douce. J'avais tout gardé pour moi, un peu honteuse. Avec raison ! Je venais de me faire larguer comme une vieille chaussette. Ça m'a pris des jours pour arrêter de pleurer.

Je lui détaille donc les faits. Ma demande de pardon à Corentin, le regard de glace de Valentin Cœur-de-Lion, la stupidité de Miranda, la voiture noire qui démarre sans me laisser parler à Marie-Douce. C'était digne d'une scène de film.

— Ce qui est fait est fait. Maintenant, il faut regarder devant toi, déclare Constance en se levant. Assez de broyage de noir ! Je comprends pourquoi t'as eu l'air *down* tout l'été !

— Hé ! J'ai pas eu l'air *down* ! J'étais super joyeuse…

— Sombre-sombre, une vraie veuve noire… mais je t'aime quand même. On a eu du *fun* cet été. Si ça n'avait pas été d'Érica et d'Alexandrine, ç'aurait été parfait !

— T'as deviné que je *flushe* Alexandrine Dumais, han ?

— Oui. Merci pour ça. Tu sais qu'elle sera ton ennemie, dorénavant ? Alex est orgueilleuse et territoriale. Une vraie tigresse…

— Pfff, j'ai même pas peur.

– Allez ! Faut aller chez toi ! Tu veux que je t'accompagne ?

– On peut demander à ta mère de m'adopter à la place ? Me semble que ta vie est plus simple…

Constance éclate de rire.

Chapitre 38

La chasse à la Laura

Mon père est dans le cadre de la porte, il cherche Laura. Ah ! C'est déjà bon signe, ça veut dire qu'elle n'est pas déménagée sans me dire au revoir ! Je me sens déjà beaucoup mieux. Mais où est-elle ? Et pourquoi a-t-elle vidé ma chambre de ses affaires ?

Du coup, je comprends tout. Elle est fâchée de la façon dont je suis partie. Elle ne veut plus être avec moi. Elle va refuser de me parler, c'est certain ! Zuuuut ! Tout sera à recommencer. Laura qui boude, moi qui essaie d'être « fine », arrfff !

– Cherche-la pas ici, me dit mon père. Je lui ai aménagé une nouvelle pièce.

Corentin me regarde avec un petit sourire.

– Tu vois bien qu'elle n'est pas partie très loin !

– Ben là ! Allons voir dans sa chambre, c't'affaire ! Qu'est-ce qu'on attend ?

– Moi, je ne fais que te suivre, sourit Corentin.

– Elle est dans l'ancienne chambre d'amis, nous annonce mon père.

Nous le suivons comme des canetons suivent leur maman.

Sa déco est super géniale ! J'en ai un coup au cœur, sa chambre est trop belle. Sa couette vert lime fait un effet hallucinant avec l'espèce de violet de *fou* dont elle a peint deux de ses murs.

J'essaie de ne pas m'attarder au décor pour la chercher du regard. Elle n'est pas là.

— Sa fenêtre est grande ouverte, pointe Corentin.

Papa sacre encore. Deux fois le même jour, c'est beaucoup pour lui.

C'était ma chambre quand j'étais jeune. L'appentis est facile à descendre. Elle l'a découvert assez vite merci.

Corentin m'agrippe le bras.

— Partons à sa recherche, dit-il.

— As-tu une idée où elle aurait pu aller ?

— Quelques-unes…

***

Nous marchons dans la rue Sainte-Madeleine, à quelques mètres des garçons Desjardins et de leurs copains qui jouent au hockey bottine. Le premier à remarquer notre présence est Fabrice. C'est un garçon toujours joyeux. Un peu maladroit dans ses relations, mais il est le genre à toujours vouloir plaire ou à rendre service.

— Marie-Douce ! Où étais-tu tout l'été ?

Je lui fais un sourire amical.

— Paris !

Le garçon siffle entre ses dents pour exprimer sa surprise.

— Wow, c'est pas à la porte, ça !

Corentin est déjà à bout de patience.

— Avez-vous vu Laura ? demande-t-il au petit groupe.

— Elle est passée par là ! nous indique Évance. Elle allait vers la rue Chanoine-Groulx.

— Chez Constance !

— Ouais… D'après moi, c'est là qu'elle allait. Laura est toujours chez Constance. C'est sa nouvelle meilleure amie !

— Tu t'es fait piquer ta *BFF*, on dirait ! Ha, ha ! se moque Maurice Gadbois.

— Ta gueule, Maurice !

Oh, mon Dieu ! Corentin plisse les yeux, ses doigts se sont refermés sur ses poings. Sans attendre, je tire sur sa manche.

— Laisse-le faire, Corentin, allons trouver Laura.

Je dois m'y reprendre à quelques reprises pour réussir à dévier l'attention de Corentin du regard défiant de Gadbois.

Lorsqu'enfin nous arrivons à pas rapides à la maison de briques rouges de Constance, rue Chanoine-Groulx, nous nous heurtons à une porte close. Nous avons beau sonner, cogner, crier leurs noms, aucune réponse.

Chapitre 39

PARLER... le pire mot du monde entier

Au lieu de revenir par la rue Sainte-Madeleine, Constance a suggéré de longer la rue Jeannotte pour rentrer chez moi, rue Louise-Josephte. Pour faire le trajet, nous marchons d'un pas lent. J'appréhende ce que que je trouverai à la maison. Si elle a découvert que je me suis enfuie par la fenêtre, ma mère est déjà morte d'inquiétude. Mais les chances sont plus grandes qu'elle n'ait pas remarqué mon escapade. Cette dernière possibilité me calme un peu. J'entrerai par la porte arrière, maman n'y verra que du feu.

Ce qui me rend plus nerveuse, c'est de revoir mon père. J'ai le goût de faire demi-tour et de retourner me réfugier chez Constance, mais celle-ci ricane.

– Pas chanceuse ! Maman est partie en même temps que nous pour aller faire des commissions et j'ai oublié ma clé ! Il faudra attendre qu'elle revienne pour entrer. Aussi bien faire face à la musique et aller voir ton père.

Ce disant, Constance me tient le bras d'une poigne solide. Elle a le sourire fendu jusqu'aux oreilles.

– Pourquoi t'es si contente ?

Elle relâche un peu son emprise sur mon poignet.

– Parce qu'enfin, tu pourras régler cette histoire qui te ronge depuis si longtemps. Ton papa est là, tu devrais sauter de joie !

– T'oublies que mon « papa » vient avec un paquet de troubles. Oh, Constance ! Je suis déçue, t'as pas idée ! Ça ne s'est pas passé du tout comme j'en avais rêvé.

J'ai un nœud dans la gorge, les larmes sont si près de jaillir de mes paupières que j'en ai les yeux en feu.

– Tu parles du bébé ?

– De tout… Mon père a été super froid avec moi. Pas de câlin, pas d'émotion, il avait l'air agacé de s'être fait repérer par sa fille, tu vois le genre ? Il m'a présenté à sa nouvelle famille comme si c'était une corvée. « V'là ma progéniture de ma vie d'avant ! »

Le regard de pitié de Constance me donne encore plus le goût de pleurer à chaudes larmes.

– Oui, je vois…

– J'ai même pas été invitée à son mariage ! Tu te rends compte ? Je suis de trop dans sa nouvelle vie. Moi qui l'attendais avec tant d'impatience…

– Ben oui, c'est épouvantable ! J'espère que tu ne vas pas te gêner pour lui faire savoir ta façon de penser !

– C'est facile à dire quand ce n'est pas de TON père dont il est question !

– Moi, je peux dire n'importe quoi à mon père, il ne chiale jamais.

Ouais… son père a soixante-cinq ans.

— Il est sourd, c'est pour ça !

OK, ce n'est pas très gentil. Pour ma défense, ce n'est pas cool de sa part de me vanter la gentillesse de son père dans un moment pareil. Je l'envie beaucoup !

— Arrête de dire ça, ce n'est pas vrai. Il n'est peut-être pas jeune-jeune, mais il est très bien conservé tu sauras ! Il joue encore au…

— … golf !

— En plein ça !

— Un sport de vieux !

Arrfff… Qu'est-ce que j'attends pour me taire ? Même si je suis jalouse, ce n'est pas une excuse pour l'insulter. Elle s'arrête au milieu du trottoir. Si ses yeux étaient des fusils, je serais morte, c'est sûr.

— Hé ! Arrête de dire des choses pas fines sur mon père. Au moins, lui, il ne m'a pas laissée tomber !

Han ?

— Ça, c'est chien.

— T'es pas ben, ben fine non plus !

Nous devons ressembler à deux lionnes qui se jaugent avant de se sauter dessus pour se battre. Elle plisse les yeux, moi aussi.

— Je vais rentrer toute seule, dis-je entre mes dents.

— C'est ça ! Moi, je m'en vais !

***

En arrivant chez moi, je vois la voiture rouge de maman dans le stationnement, mais la Jeep militaire de mon père n'est plus là. Ah ! déjà ? Il n'a pas perdu de temps pour décamper. J'entre d'un pas lourd, déçue de constater qu'il ne m'a pas attendue. Un bruit provient de la cuisine.

— Maman ?

J'avance, je passe devant le salon pour aller voir qui est là. Je regarde partout !

— Alloooo ?

Au moment où je tourne le coin, près des grandes armoires, j'aperçois Trucker qui lape son bol d'eau. Il relève sa grosse tête, la gueule dégoulinante, la langue un peu sortie. Il est d'une élégance !

— Ah, Trucker ! C'est juste toi ! Où est maman ?

Il secoue la tête comme s'il tentait de répondre à ma question avant d'émettre un « wouah » qui ne m'en apprend pas beaucoup sur la localisation de ma mère… C'est un chien, je m'attendais à quoi ?

— Laura ?

— Maman ! Où est papa ?

Ma mère prend une grande inspiration qui n'annonce rien de bon.

— Viens, Laura, allons nous asseoir pour parler.

PARLER... le pire mot du monde entier.

Je pense que je vais vomir dans la seconde...

— Pas besoin d'être assise ! Où est papa ?

On dirait bien que c'est elle qui en avait besoin puisqu'elle s'écrase avec lourdeur sur l'une des marches de l'escalier.

— Ton père est parti. Sa... euh... Martine avait un rendez-vous médical.

Un quoi ? Ils auraient pu être originaux quand même ! Qui a un rendez-vous médical le dimanche ! Pas fort en fait d'excuse pour me fuir...

— Maman, je sais très bien que si ça n'avait pas été de l'accident, papa ne serait jamais venu ici. J'ai raison ?

— Laura ! Non ! Ne dis pas des choses comme ça ! Il avait l'intention de venir...

— Mais plus tard, c'est ça ?

— C'est ça.

— Quand ?

À mes dix-huit ans, ouais...

— Quoi ? demande-t-elle, surprise de mes questions directes.

Elle ne devrait pas l'être, pourtant, elle me connaît. Elle sait que je ne me gênerai pas pour obtenir les réponses dont j'ai besoin. Je pense qu'elle gagne du temps. Quand elle ne sait plus quoi me dire, elle fait semblant d'avoir mal compris ma question.

— Quand serait-il venu ?

— Je ne sais pas… Où étais-tu passée, Laura ? T'es sortie par la fenêtre. C'est très dangereux !

— J'étais chez Constance, réponds-je avec raideur.

— Ah.

— Savais-tu qu'il s'était remarié ? Connais-tu Martine ? Savais-tu qu'il avait un bébé ? Un BÉBÉ, maman ! Comment avez-vous pu me cacher ça ?

Ma mère ferme les yeux, dépassée par ma série de questions. Sa main frotte son front comme si elle sentait une migraine s'installer. Rien de tout ceci n'est de sa faute. Elle ne peut pas répondre pour mon père. Ça, je le sais. Mais elle aurait pu tout me dire à mesure ! Et puis… c'est elle que j'ai devant moi et j'ai besoin de passer à l'attaque. Toute cette histoire me ronge de l'intérieur.

— Je ne savais pas pour l'enfant, commence-t-elle. Je me doutais qu'il avait quelqu'un dans sa vie, mais je ne savais pas qui. Nous nous sommes séparés de façon officielle, la preuve, j'ai refait ma vie avec Hugo. J'espère que t'espérais pas encore que je retourne vivre avec ton père?

Je laisse un long silence moduler mes pensées. Dans ma tête, c'est le chaos total. Passer aussi vite du bonheur, à la panique, à la déception, c'est beaucoup d'émotions pour une seule journée.

J'émets un long soupir.

– Non… oui… je ne sais pas. Je suis mêlée, maman. D'un côté, je comprends que t'es amoureuse d'Hugo, mais de l'autre côté, c'est comme si j'avais encore espoir que nous reformions une famille. Comme avant. Je ne sais plus ce que je veux et en même temps, je suis très consciente que mes rêves ne changeront rien. Je suis impuissante dans tout ça. J'aime pas le monde des adultes, vous rendez tout si… compliqué!

Je dis ça comme si le monde des ados était plus rose. *Euh… Non!*

– Je comprends que c'est pas facile pour toi. Mais t'es heureuse ici, avec Hugo et moi, non?

– Oui… C'est pas la question. Je voudrais les deux!

– On ne peut pas tout avoir, me dit maman de sa voix sage.

– Si au moins papa s'occupait de moi un peu.

– Laisse-lui une chance, il vient juste de revenir. Il doit s'ajuster. Un bébé, c'est très prenant au début, tu sais. Et ça pleure la nuit. T'as vu leurs cernes ? Je suis certaine qu'ils en ont pour leur rhume, ajoute-t-elle avec un petit sourire.

Chère maman, elle a toujours le bon mot pour me faire rire. Elle est parfois capable d'être malcommode !

— J'ai pas eu le temps de voir leur face, je me suis enfuie ben trop vite.

— Eh bien, moi, j'ai vu tout ça. Martine semble gentille. Je pense que tu devrais attendre pour voir comment les choses se passent.

Je souris avec tristesse.

— Elle ne peut pas être pire que Miranda...

— Laura ! s'exclame-t-elle.

Je sais qu'elle fait semblant d'être scandalisée par mon commentaire. Je l'ai vue rouler les yeux en présence de la mère de Marie-Douce. Personne, à part monsieur Cœur-de-Lion, ne peut l'endurer. Et même lui... pas sûr ! L'a-t-il épousée parce qu'elle paraît bien sur ses photos de presse ? *Tss, tss ! Laura, tu n'es pas gentille...*

Un peu calmée, je m'assieds à côté de maman sur la marche d'escalier. D'un mouvement spontané, elle entoure mes épaules de son bras pour m'attirer à elle.

— Je suis désolée, Laura… tu méritais mieux que ça de la part de ton père.

— Penses-tu qu'il va revenir? Au moins pour me parler?

Elle hoche la tête avec énergie.

— Oui. C'est certain.

— Est-ce qu'il habite près d'ici?

— En fait… il vient d'emménager à Vaudreuil-sur-le-Lac.

Je regarde ma mère de biais, perplexe.

— Han! C'est là que le père de Corentin habite. Euh… Miranda aussi, et Marie-Douce!

— Le monde est petit! me répond-elle.

— Au fait, où est Marie-Douce?

— Arrivée et repartie à ta recherche!

— Et où est Hugo?

— Parti à ta recherche, puis à celle de Marie-Douce. J'étais restée ici au cas où tu reviendrais avant eux.

— Alors, si on part les rejoindre, ils risquent d'arriver pendant qu'on n'est pas là.

— C'est en plein ça! sourit ma mère.

Chapitre 40

La Terre appelle
Marie-Douce !

Ainsi, il n'y a personne chez Constance. Laura est-elle venue ici ou non ? Si elle est troublée par la visite de son père, elle a peut-être décidé de marcher plus longtemps. Son amie Érica habite rue Charlebois. C'est pas mal plus loin, mais quand on a besoin de s'évader, ça ne compte pas. Je me demande si elle lui parle encore… Il me semble que je ne les ai pas vues beaucoup ensemble cette année.

– La Terre appelle Marie-Douce !

Corentin claque des doigts devant mon visage.

– Han ?

– T'es encore dans la lune ! Ça fait trois fois que je te dis qu'on devrait faire le tour de la maison pour voir si elles sont dehors.

– Ah… ben, OK. Qu'est-ce qu'on attend ?

Il roule les yeux au ciel avant de tendre la main pour la poser sur mon épaule.

– Je ne t'ai pas attendue, qu'est-ce que tu crois ? Je suis allé voir. Elles ne sont pas là. On retourne chez toi, maintenant ?

– Quand est-ce que Bruno vient te chercher ?

Notre cher ami Bruno, le chauffeur, était sur le même vol que nous. J'ai vu Corentin lui glisser un mot à l'oreille avant de partir avec nous.

– Après avoir mangé.

– Super, t'as le temps de chercher Laura avec moi !

Où aller maintenant ? Chez Samantha et Samuel Desjardins, pourquoi n'y ai-je pas pensé plus tôt ? C'est un petit détour par la rue Esther-Blondin en plus, c'est là que les jumeaux habitent. Quelle gourde je fais, des fois…

– Marie-Douuuuuce !

Une voix m'interpelle. Je la reconnais, c'est Samantha. Quand on parle du loup, on en voit la queue !

Elle se promène encore avec son chien miniature dans son panier de vélo. Chère Sam, des fois, on dirait qu'elle se prend pour Paris Hilton. Elle me lance un regard émerveillé. Ah oui, c'est vrai, je ne me ressemble plus.

– Wow ! T'as changé, c'est fou ! T'es presque aussi grande que moi ! Et qu'est-ce que t'as fait de tes cheveux ? T'es maquillée ? J'en reviens pas !

– T'es venue nous reprendre en photo comme l'autre fois ? Pour ta gouverne, on ne s'embrassera pas aujourd'hui ! raille Corentin sans autre préambule.

Samantha place ses deux pieds chaussés de sandales blanches sur l'asphalte chaud. Elle fait la moue. Si elle s'apprêtait à m'accueillir d'une embrassade enthousiaste, Corentin vient de couper son élan.

— Non, j'ai perdu mon iPod. Mais c'est pas pour ça que je suis là !

— Pourquoi, alors ? demande Corentin, les bras croisés, pied écartés comme un agent de police.

Je crois qu'il n'a pas digéré l'histoire de la photo. Ça, ou elle lui tape sur les nerfs. Peut-être les deux.

— Constance est arrivée chez nous en pleurant, tantôt. Elle et Laura se sont chicanées pas mal fort, il paraît.

— Où est Laura ?

Samantha ouvre grand les yeux parce que nous avons posé cette question en même temps.

— Woh… euh… je sais pas, moi ! Peut-être chez Alexandrine Dumais ? Elles sont devenues amies pendant votre absence. Longue histoire !

Quoi ? Laura et Alexandrine ensemble ? Wow… j'ai été partie trop longtemps…

— Elle habite où, Alexandrine ? demande Corentin, toujours *business*.

— Rue Boileau.

— Quelle adresse ?

— Aucune idée ! C'est un jumelé gris.

Il faut savoir que cette rue entière est composée de jumelés! C'est comme défier quelqu'un de trouver une fille de treize ans dans une classe de secondaire 1!

Corentin me lance un regard agacé. Nous avons pensé à la même chose en même temps : il faut demander à Samantha de nous accompagner.

Oh là là là! Je sens que l'idée ne plaît pas du tout à Corentin...

— Si tu sais exactement où c'est, tu peux venir avec nous, annonce-t-il.

Il lui dit ça comme si c'était nous qui lui rendions service. Habile... Très habile... Samantha se laisse facilement impressionner. Surtout que je sais depuis longtemps qu'elle trouve Corentin très *cute*.

Elle nous conduit donc, avec son super chihuahua — Trucker n'en ferait qu'une bouchée — dans son panier vers la rue Boileau.

Chapitre 41

Amie-amie

Hugo est revenu bredouille. Pas de Marie-Douce à l'horizon !

– Elle est avec Corentin, j'ai aucune idée où ils sont allés, dit-il.

Ainsi, Corentin n'est pas allé directement chez lui. Ça y est, ils sortent ensemble pour de vrai. Ah non ! Ça ne me tente pas de les voir se regarder, les yeux amoureux dans la graisse de bine à se dire des petits mots quétaines ! Arrrggh. Pourquoi ma vie est-elle aussi poche ?

La belle famille « reconstituée » que nous formons ! Le père de Corentin avec la mère de Marie-Douce. Le père de Marie-Douce avec ma mère. Si la mère de Corentin n'était pas décédée et que Martine n'existait pas, il ne manquerait plus que mon père et elle se « matchent » ! Nous serions alors les parfaits personnages d'une comédie américaine. Miranda qui joue le rôle de la belle-mère folle et ma mère de la bonne maman toute gentille. Moi je suis la « pas fine », Marie-Douce la pauvre héroïne qui se fait malmener et Corentin est le prince charmant !

Bon. Trêve d'histoires folles. Il faudra bien que je les retrouve pour constater où en est notre relation. Marie-Douce veut-elle, oui ou non, être en bons termes avec moi ? Sommes-nous les sœurs dont elle rêvait, ou ai-je tout gâché ? Ça fait quatre mois que je meurs de le savoir. Elle est partie avec tant d'amertume qu'elle a peut-être décidé que j'étais une cause perdue.

Je sais que je vais retrouver une fille différente. Ce voyage de l'autre côté de l'océan, à côtoyer des gens célèbres, l'a changée, c'est ce que Corentin m'a dit. Est-elle devenue snob ? A-t-elle grandi, mûri au point de ne pas être reconnaissable ? Je m'inquiète sûrement pour rien. N'est-elle pas partie à ma recherche, après tout ? Elle doit bien avoir le goût de me voir ? À moins qu'elle ait hâte de me dire mes quatre vérités ! *Je les connais déjà...*

– Maman ! Je vais aller voir si je peux les trouver, OK !

– On soupe dans une heure !

– Merci, maman ! Je reviens tantôt !

***

Je n'ai pas fait cent pas que j'aperçois Constance qui se dirige vers le dépanneur. Elle me jette un regard impossible à interpréter. C'était notre première chicane, je ne sais pas trop comment nous allons régler ça. Est-elle rancunière ? Moi, j'ai tendance à l'être, mais j'essaie de me corriger. J'ai eu une année difficile avec mes amitiés, je dois « mettre de l'eau dans mon vin », comme le dit souvent ma mère. Elle a de ces expressions, elle, des fois !

Alors, on fait comment pour briser la glace ?

– Salut !

J'ai droit à un sourire plat. Elle détourne la tête pour continuer sa route comme si je n'existais pas.

C'est pas vrai. Elle me largue comme un vieux torchon ? Qui eût cru qu'un jour, Constance Desjardins — qui rêvait de me fréquenter — me *flusherait* !

– Constance ! Constance !

Elle finit par s'arrêter, soupire, puis lève les yeux vers moi. Ouf !

– Je… hum… Je m'excuse pour tantôt. Il est super cool ton père, je ne voulais pas dire des affaires pas fines à son sujet. J'étais pas moi-même. C'est l'apparition-surprise de mon père qui m'a rendue nerveuse.

Son sourire apparaît lentement et elle m'arrête d'une main levée.

– C'est beau ! Je comprends ça ! J'ai pas été ben, ben fine non plus.

– Amie-amie ?

– Amie-amie, répond-elle.

– Sais-tu où est rendue Marie-Douce ?

Constance change de face à cette question. Je suis surprise, ce n'est pas comme si je lui avais demandé un GRAND service !

— C'est ça, dès que Marie-Douce va réapparaître, tu vas me laisser de côté !

— Han ? Ben non, voyons, pourquoi tu dis ça ?

Je dois attendre de longues secondes avant d'avoir une réponse. Elle croise les bras et regarde par terre. Il y a anguille sous roche ! dirait ma mère. J'avais un peu remarqué qu'elle changeait d'air quand je parlais de Marie-Douce, mais je n'ai pas fait le rapprochement entre sa peur de se faire laisser tomber et le retour de ma demi-sœur.

— Pour rien… Laisse faire. Mettons que j'ai rien dit.

Argh ! *J'haïs* ça quand les gens font ça ! Elle joue à la victime, ça me tombe sur les nerfs !

— Constance, sois donc franche et dis-moi ce que t'as sur le cœur pour qu'on règle ça avant que ça devienne une grosse histoire.

— Ben… Marie-Douce ! Tu fais juste parler d'elle depuis des mois. Des fois, j'ai l'impression que t'es devenue amie avec moi juste en attendant qu'elle revienne.

Quessé ça ?

Ben, un peu, au début… je dois l'avouer. Une fille se doit d'avoir une vie sociale, surtout quand les temps sont durs.

– C'est pas vrai ! Mais c'est ton amie, aussi, non ?

– Oui, c'est mon amie…

Je la regarde un instant, j'essaie de lire non pas ce que ses mots me disent, mais plutôt ses yeux. J'espère me tromper, mais je crois deviner que Constance n'aime pas Marie-Douce. Pourquoi ? Ça reste à découvrir !

– Alors, tu devrais avoir hâte de la voir, toi aussi, non ?

Silence de mort.

Trente secondes passent…

– Constance ?

M'entendre prononcer son prénom la fait sursauter.

– Oui ! Oui… Et pour répondre à ta question, je sais pas où elle est. Tu veux venir à la maison ? Ma mère doit être revenue. Elle m'a permis de télécharger des nouveaux trucages sur Star Maker. On pourrait faire une nouvelle vidéo !

– OK, mais je dois rentrer pour souper.

– Tu peux souper chez nous !

– Mais…

J'allais dire « je ne serai pas là quand Marie-Douce reviendra », mais je me ravise, de peur que Constance m'accuse encore de la délaisser. Quand suis-je donc devenue aussi peureuse face à ce que pensent les autres ?

Reste que c'est arrivé. Pour une raison qui m'échappe, j'ai peur de perdre l'amitié de Constance. J'aurais l'impression qu'il ne me resterait plus rien après. Oh, il y a toujours Samantha, mais honnêtement, elle me tape un peu sur les nerfs… Et Alexandrine, il n'en est plus question !

J'ai donc appelé ma mère pour l'aviser que je souperais chez Constance.

De toute façon, je n'ai pas le goût de voir Corentin et Marie-Douce se tenir par la main !

Chapitre 42

Mise à jour
des derniers potins

Nous avons marché jusqu'à chez Alexandrine avec Samantha qui tournait autour de nous avec son vélo en faisant de grands cercles. Tout le long, elle nous a raconté son été, ce que nous avons manqué — pas grand-chose somme toute — ainsi que tous les derniers potins.

– Laura et Constance sont devenues des *BFF*. Mais aussi, entre-temps, Alexandrine s'est emparée de Laura. Et vous savez quoi ? Alex a forcé Laura à choisir entre nous et elle ! nous raconte Samantha.

Ainsi, Laura s'est réfugiée auprès de Constance en mon absence en plus de devenir l'amie de la terrible Alexandrine Dumais ? Wow, elle n'a pas chômé ! Elle n'avait pas besoin de moi après tout !

Avec tout ça, j'anticipe un dur retour à la réalité. Nous commençons l'école la semaine prochaine.

– MARIE-DOUCE !

Oups ! Suis-je encore perdue dans mes pensées ? *Oh que oui.*

– Quoi ?

Corentin a les bras croisés sur sa poitrine et tape du pied.

– T'es encore distraite.

– Hi ! Hi ! Hi ! Elle fait toujours ça ! rigole Samantha.

– C'est la maison d'Alexandrine ?

 381

Samantha acquiesce.

– Elle est partie chez sa tante, nous annonce la dame qui vient de nous ouvrir.

Nous nous regardons tous les trois.

– C'est pas vrai… gronde Corentin en dardant sur Samantha un regard mécontent.

– Hé! Pas de ma faute! se défend-elle. Est-ce que j'ai l'air d'un détective privé?

– Qu'est-ce qu'on fait? me demande-t-il.

– On retourne chez mon père.

Avec le soupir de Corentin vient le «wouah wouah» de chien-chien en direct du panier pour clore la question.

Chapitre 43

Mousse de quenouille
et lardons de crocodile

— Laura, t'as déjà mangé du foie de castor ?

La mère de Constance a l'air sérieux en plus.

— Qu… quoi ?

— Des mousses de quenouille ? Tu sais, les saucisses brunes qui poussent le long de l'autoroute ?

— Paaar… don ?

Je regarde Constance, incertaine des questions de sa mère. Elle est de glace ; les yeux fixés sur moi, elle attend ma réponse.

— Des lardons de crocodile, peut-être ? On a un peu de tout… continue Isabelle.

Je cligne des yeux.

— Euh…

Isabelle, Constance et Paul éclatent de rire.

Je les regarde un à un, perplexe, puis éclate de rire à mon tour.

Ce qui est bien avec cette famille de fous, c'est qu'elle me distraie de ce qui me tracasse avec beaucoup d'efficacité. Toutes les questions concernant Marie-Douce, Corentin, mon père, Hugo, ma vie embrouillée, se sont envolées pour quelques heures.

— J'ai fait un macaroni, t'en veux ? demande Isabelle en souriant.

— Ouiiiiiiii, s'il vous plaît !

— Moi aussi, annonce Constance.

***

Il est près de 19 h, nous sommes toujours autour de la table à papoter et à manger un dernier dessert (ça fait trois : un pouding au chocolat, un morceau de tarte au citron et un gâteau des anges couvert de framboises. Isabelle est en feu !). Pour être honnête, je commence à avoir la nausée, mais c'est si boooon, ça fond dans la bouche.

– On écoute un film ? demande Constance.

Bonne idée, ça va encore retarder mon retour à la maison. Si j'arrive après 21 h, Marie-Douce sera au lit, Corentin, reparti chez lui, et je pourrai me faufiler dans ma chambre…

C'était sans compter sur la patience — ou devrais-je plutôt dire l'impatience — légendaire de Corentin !

Chapitre 44

Corentin, l'homme de la situation

Enfin revenus à la maison. Après tout ce temps perdu, je suis certaine que Laura sera là et que je vais FINALEMENT la revoir. Les derniers pas devant la porte d'entrée sont très énervants.

J'ai beau faire le tour entier de la maison, Laura n'est nulle part. Finalement, Nathalie nous annonce avec désarroi que Laura a accepté de souper chez Constance, qu'elle reviendra plus tard. Elle savait, pourtant, que j'arrivais aujourd'hui ! C'est certain qu'elle était au courant ! Elle a failli venir me chercher à l'aéroport avec sa mère. Bien sûr, avec l'apparition accidentelle de son papa dans cette collision de voitures, ç'a chamboulé ses plans. Pour empirer les choses, elle a découvert par accident que son père s'est remarié. Il a même eu un autre enfant ! Elle doit être dans tous ses états !

J'aimerais la voir tout de suite. Me fuirait-elle, par hasard ? Je ne serais pas surprise. Ça fait quatre mois qu'elle m'évite. J'ai téléphoné, j'ai « skypé », elle avait l'adresse postale où m'écrire. Je n'ai eu aucun signe de vie de sa part.

— Je reviens ! grogne Corentin.

— Corentin, où vas-tu ?

— Chercher Laura. Reste ici, m'ordonne-t-il comme s'il était mon père.

Chapitre 45

Moi, moi, moi

— Laura… c'est pour toi à la porte !

Je hausse les sourcils de surprise. Suis-je rendue si souvent ici qu'on sonne pour moi, maintenant ? Je me dépêche d'aller voir ce que c'est, mais lorsque je passe devant Constance qui tient la porte entrouverte, elle me fait un air bizarre.

— Je pense que t'es mieux d'aller lui parler dehors…

— Han ! Pourquoi ? C'est qui ?

— Le beau Corentin… Pas de bonne humeur…

Du coup, je claque la porte pour la refermer. Je ne sais pas ce qui me prend, c'est comme un réflexe.

— Qu'est-ce qui t'arrive ? demande Constance, confuse.

Je me saisis la tête à deux mains. Sa question est excellente ! Pourquoi ai-je fait ça ?

La sonnette retentit. Il ne s'en ira donc pas !

Bien sûr qu'il ne partira pas, espèce de grande nouille, Corentin a plus de cran que ça !

— Ouvre la porte, Laura ! grince Constance en chuchotant si fort que c'en est ridicule.

— Laisse-moi deux minutes !

— As-tu besoin de ta pompe ?

— Non, non, ça va ! C'est seulement Corentin ! C'est juste que j'étais pas prête.

Mon amie croise les bras et tape du pied. Elle m'énerve.

– OK, prête, *go*!

***

Il est assis sur le banc décoratif à côté de la porte d'entrée.

– C'est fait pour mettre des plantes dessus, ce n'est pas pour les humains! dis-je, en pointant l'objet du menton.

– Qu'est-ce que tu fais chez Constance! Marie-Douce t'attend! Suis-moi!

Je plisse les yeux et je *boque*.

– Hé! Ça fait quatre mois que je t'ai pas vu, tu m'as trahie avant de partir et maintenant, tu me parles comme si j'allais t'obéir? Sans parler de tes courriels assez ordinaires, merci!

Il pose les mains sur ses hanches et me regarde avec impatience. Je pensais connaître Corentin Cœur-de-Lion. Il était le genre d'ami fidèle, toujours gentil, à l'écoute… Qui est donc ce garçon qui me chicane comme s'il était mon père? Je ne sais pas si ce sont les derniers mois qui l'ont changé autant, mais il n'est plus le même. Il a grandi, les traits de son visage se sont affirmés. Et son attitude a changé!

— Écoute, j'ai trop la dalle. J'ai traversé l'Atlantique, j'ai chaud, j'ai passé la JOURNÉE à te chercher, j'ai dû faire le tour de Vaudreuil à pied parce que Marie-Douce ne voulait pas lâcher prise. Elle est inquiète pour toi. Alors, si ça ne te dérange pas trop, j'aimerais aller manger mes PREMIERS épis de blé d'Inde, comme vous dites, MAINTENANT ! Vous pourrez discuter entre meufs pendant que je me goinfre ! *C'est-ti correct pour toé, ça ?*

Sur cette imitation exagérée de Québécois, il s'élance pour rebrousser chemin, ne me laissant pas d'autre choix que de le suivre !

— Corentiiiin ! Marche moins vite ! Cocoooo ! Ça veut dire quoi, « meuf » ?

***

J'ai vite remercié Isabelle pour son excellent macaroni, j'ai salué Constance et *VOUP* ! en un rien de temps je suis sur les talons de Corentin. Avais-je le choix ?

— Est-ce que vous sortez ensemble ?

Il marche à côté de moi, les mains dans les poches. Il pourrait ralentir. Je dois presque courir pour garder la cadence.

– Non.

Youpi !

– Ah.

Nous avançons en silence de longues minutes, puis, incapable de me contenir, les questions sortent de ma bouche sans que je ne puisse les retenir.

– Mais tu l'as embrassée, non ? Elle ne veut pas de toi, c'est ça ? C'était ça le gros problème dont tu m'as parlé sur Messenger ?

J'entends son soupir malgré les voitures qui passent en trombe sur l'avenue Saint-Charles.

– C'est ma demi-sœur, nos parents sont mariés. Tu ne trouves pas que ça serait un peu tordu comme scénario ?

– Pouah ! Ça n'a rien à voir ! Vous avez aucun lien de parenté. Alors, c'est quoi, la patente ? Tu lui cours après depuis des mois et elle se cache sous la table ? Trop gênéééée ?

Ce disant, je pose un index sur ma bouche et je fais la moue comme une petite fille. Ce n'est pas gentil, j'en suis consciente, mais c'est lui qui a commencé !

– La ferme, Laura.

– Ici, on dit « ferme-la », pas « la ferme » ! Et une meuf, c'est une fille, c'est ça ?

– Oui, c'est ça.

Je déteste quand il me regarde comme si j'étais nounoune. C'est la première fois qu'il me parle de cette façon. Bon, OK, peut-être la deuxième fois et depuis ce jour maudit, Corentin a changé. Il est devenu... impénétrable et imprévisible.

— Je viens de passer quatre mois horribles. Et tout à l'heure, j'ai vu mon p...

— Typique! C'est du Laura St-Amour tout craché! lance-t-il.

— Qu'est-ce que tu veux dire?

— Moi, moi, moi! Ta pauvre vie, tes problèmes, ton petit cœur...

— Oh... Corentin...

— Non, c'est assez, Laura. Tu penses qu'il n'y a que toi qui vis des moments difficiles. Tu sais que toutes les fois où on s'est vus avant l'histoire de Marie-Douce, t'as parlé que de tes problèmes? Pas une seule fois, nous avons parlé de MES problèmes? Tu ne connais rien de moi!

— T'es si mystérieux...

— Mystérieux? HA!

— Mais tu ne parlais jamais de toi...

— T'as jamais posé de questions! On ne parlait que de toi! m'accuse-t-il.

— Je suis désolée, Corentin. Allons voir Marie-Douce.

Chapitre 46

Zzzzzz...

Je suis dans ma chambre. Mon ventre crie famine, mais je n'ai pas pu manger, tout me roulait dans la bouche comme si j'allais vomir. Je me suis excusée auprès de Nathalie et de papa et suis montée me vautrer dans mon lit.

Ça fait une demi-heure que Corentin est parti à la recherche de Laura. Cette fois, il sait où la trouver. Chez Constance. Non, je ne suis pas jalouse de cette nouvelle amitié. C'est bizarre comme sensation, mais ça me donne l'impression que, d'une certaine façon, en choisissant Constance, Laura reste dans mon cercle, qu'elle ne s'est pas éloignée. Est-ce volontaire de sa part ? Je ne sais pas, mais l'idée me réconforte.

Quelle longue journée ! Je suis affectée par le décalage horaire — pour moi, il est déjà plus de minuit, heure de Paris — et trop de choses se sont produites. L'émoi causé par le père de Laura, leur accident de voiture, notre recherche dans toute la ville au soleil tapant, son absence quand je suis arrivée… Je suis fatiguée, mes paupières ne peuvent plus tenir. J'ai la tête qui bourdonne.

Je porte encore ma belle robe jaune, j'en avais acheté une semblable pour Laura en souvenir de voyage. La sienne est bleue. Je lui ai aussi trouvé quelques T-shirts cool. Je lui ai acheté une fée de porcelaine. J'ai hésité mais la statuette lui ressemblait avec ses longs cheveux bruns. Les cadeaux sont tous emballés, je les ai laissés sur son lit, dans sa nouvelle chambre. J'espère qu'elle les aimera.

Trente-cinq minutes que j'attends le retour de Corentin. Il a peut-être décidé d'appeler Bruno et est déjà de retour chez lui, à Vaudreuil-sur-le-Lac. Il ne m'aurait donc pas dit au revoir... Il doit être aussi fatigué que moi.

Je pense à Corentin, à Laura, à notre nouvelle vie. L'école commence dans quatre jours. Ça fait des mois que j'anticipe la rentrée scolaire avec beaucoup d'appréhension. Voilà que ça s'en vient et j'en oublie de stresser pour ça. D'autres problèmes à régler... Zzzzzzz.

Chapitre 47

Dur, dur d'être mature

— Monte avec moi, je t'en priiiie! Ma mère te fait bouillir d'autres épis de blé d'Inde, tu pourras manger dans cinq minutes. C'est tout ce que je te demande, OK? Cinq petites minutes de rien... siouplaaaaaît...

Nous sommes dans les escaliers en direction des chambres. Je ne sais pas pourquoi je chuchote, nous ne sommes pourtant pas en train de nous cacher!

— OK, mais je ne reste pas!

— C'est bon, je sais, je sais...

La porte de Marie-Douce est entrouverte, la lumière est allumée, mais aucun son ne provient de sa chambre.

— Je crois qu'elle dort, Laura, fait Corentin derrière moi.

Zut, c'est pas vrai...

— Il n'est même pas 20 h!

— Pour nous, il est très tard: à Paris, il est déjà presque 2 h du mat!

— Pour de vrai?

Il lève un sourcil.

— Laisse-moi faire semblant que je ne constate pas ton ignorance.

Il me niaise sans se gêner. Je commence à reconnaître le vieux Corentin, celui avec qui j'ai passé tant d'heures à flâner au parc.

— Comment ça, que t'es pas fatigué, toi ?

— Je suis un homme.

— Woh les moteurs, t'as juste quatorze ans !

— C'est pas une question d'âge.

— Oui, ça l'est.

Reprenant son sérieux, il me sourit avec sincérité, cette fois. Puisque nous en sommes revenus à nos vieilles habitudes, c'est-à-dire à tourner une conversation au ridicule, l'atmosphère s'est allégée. Mon cœur aussi, je respire beaucoup mieux.

Ainsi soulagée, je reporte mon attention à l'intérieur de la chambre de Marie-Douce. Corentin doit avoir raison. Malgré nos voix, elle n'a pas bronché. Je pose la main sur le battant de bois de sa porte et pousse un petit coup. Corentin soupire et donne une poussée juste assez forte pour ouvrir avec douceur. Dans la pénombre, une forme inerte gît sur le lit, directement sur la couverture fleurie. Un jeté rose pendouille sur sa chaise de bureau de travail. Il ne fait pas froid, mais les nuits commencent à rafraîchir, alors je l'étends sur le corps endormi avant de sortir sur la pointe des pieds.

***

Corentin s'attarde à regarder les photos sur le mur du couloir alors que je traverse le corridor pour arriver à ma chambre. M'attendent dans un coin paquets et sacs cadeau. Ça vient de Marie-Douce, c'est certain ! J'approche sur la pointe des pieds comme si j'avais peur de me faire surprendre en train de regarder dans les sacs. Je tends la main pour en saisir un.

— Ne touche pas à ça !

— AWWW !

Je me retourne d'un coup sec, je viens d'avoir la peur de ma vie ! Je ne l'avais pas entendu arriver, celui-là !

— Prise la main dans le sac ! sourit Corentin.

— Pfff, ce sont MES sacs !

Il est appuyé sur le cadre de la porte, bras et jambes croisés, sourire espiègle.

— Marie-Douce a passé des heures à faire du *shopping* pour te trouver des souvenirs que tu aimeras. Tu ne crois pas que ce serait la moindre des choses de les ouvrir devant elle, mmmm ?

Je retire ma main d'un mouvement vif, irritée qu'il ait ENCORE raison.

— OK, d'abord.

— Dur, dur d'être mature, hein, Laura ?

Chapitre 48

Des retrouvailles rocambolesques

Samedi matin, j'ouvre les yeux et je suis confuse. Où suis-je? Pas dans la chambre toute verte que j'occupais à Paris dans la maison de grand-mère Cœur-de-Lion, ça c'est certain! Je me frotte les yeux pour retrouver… ma chambre! Yé! Enfin… Ah zut, je me suis endormie tout habillée, ma belle robe jaune sera toute froissée! Qui m'a retiré mes sandales? Et mon jeté rose? Je n'ai aucun souvenir de m'en être couverte! Suis-je devenue somnambule? Ça doit être papa ou Nathalie!

Cela réglé, je me lève en hâte. Laura doit être là. Elle ne peut tout de même pas avoir passé la nuit chez Constance!

Je me sens comme une petite fille le matin de Noël. Aujourd'hui, mère Noël, c'est moi! J'ai hâte de voir l'expression de Laura lorsqu'elle ouvrira ses cadeaux. Mon ventre qui crie famine me rappelle que je n'ai pas soupé hier soir. Ai-je même dîné? Avec le voyage depuis Paris, notre arrivée mouvementée, je n'ai même pas souvenir d'avoir mangé un véritable repas depuis celui que j'ai avalé du bout des lèvres dans l'avion.

Mon ventre crie comme un damné.

Pas grave, je dois voir Laura avant de faire autre chose. C'est impératif. A-t-elle ouvert ses cadeaux?

Si oui, est-elle contente? Ai-je bien choisi? C'est une question qui me ronge depuis des semaines.

La maison est bien silencieuse, et il fait encore noir… quelle heure peut-il être? Je regarde mon réveil… Il n'est que 4 h du matin! Encore le décalage horaire qui me joue des tours. Que faire? Me recoucher et essayer de dormir ou me lever?

Rien ne sert de regarder le plafond dans le noir, aussi bien allumer et voir clair. J'ai grand besoin de prendre une douche, je me sens toute « beurk » d'avoir dormi sans me laver hier soir. Je n'ai même pas brossé mes dents! C'est horrible!

Le bonheur d'avoir une salle de bains personnelle, est que je peux l'utiliser sans déranger la maisonnée. Au pire, le son de l'eau dans les tuyaux sera perceptible, mais pas suffisant pour réveiller ces marmottes. Je suis la seule lève-tôt ici! À l'heure qu'il est, je dirais même que je suis une « lève-nuit »!

***

Si j'avais mieux calculé le temps requis pour faire griller du pain croûté dans le petit four, l'alarme d'incendie n'aurait pas ameuté toute la maison à 4 h 46 ce matin. J'aurais tellement dû me contenter d'un bol de Rice Crispies.

La fumée bleue est partout dans la cuisine. Si je n'avais pas beurré mes rôties AVANT de les mettre sur la petite grille, peut-être que les flammes ne se seraient pas mises de la partie ! Je suis prise entre le grille-pain et l'alarme. Du coup, j'opte pour me servir d'un linge à vaisselle pour éteindre les flammes.

Il prend feu ! Les flammes montent de plus en plus haut !

– PAPAAAAAA !!!

Est-ce qu'ils dorment tous malgré le boucan d'enfer ? Je dois monter les réveiller ! Les faire sortir !

– Marie-Douce !

– Papa ! Il faut faire sortir Laura et Nathalie !

– Je les ai fait descendre par la fenêtre de la chambre de Laura ! Viens, ne perdons pas de temps !

Nous sortons en vitesse, mon père me soulève dans ses bras. J'aurais très bien pu courir, mais son instinct paternel s'est activé en vitesse maximale. Une fois dans la rue, papa contacte les pompiers de son cellulaire. Devant nous, les flammes s'emparent des rideaux, des murs, la fumée est partout, l'alarme ne sonne plus.

– Laura ! Lauraaaa ! Nathalie !!! Es-tu sûr qu'elles sont sorties, papa ?

Quand je le vois pincer les lèvres d'inquiétude, je panique.

– Tu m'as dit qu'elles étaient sorties! Où sont-elles?

– Sûrement dans la cour, derrière la maison.

Je m'élance malgré le cri de papa.

– Marie-Douce, reste ici!

Les ordres de mon père comptent bien peu en ce moment terrible. Je cours à perdre haleine, contournant la maison en traversant la haie de cèdres sans me soucier des éraflures sur ma peau. Où sont-elles? Je regarde en haut, j'arrive sous la fenêtre de la chambre de Laura. J'ai mon père sur les talons, mais comme Corentin le dit souvent, je suis une «sauterelle», je l'ai donc semé!

Est-ce que ce sont des ombres que je vois bouger à la fenêtre? Oh, mon Dieu! L'une d'entre elles n'a pas pu sortir! Je me souviens qu'il est facile de descendre par cette fenêtre. Puisque c'est le cas, il doit être aussi facile d'y monter, non? Je m'agrippe au support qui sert aux plantes grimpantes, mais deux mains m'empoignent la taille. Je roule au sol.

– T'es folle ou quoi? fait la voix de Laura.

C'est elle qui m'a attrapée! Elle est vivante!

Nous sommes toujours étendues sur le gazon, la fumée continue de sortir par les fenêtres et moi, je me « garroche » dans les bras de ma demi-sœur! Je la serre très fort.

— T'es vivante! J'ai tellement eu peur! Je me suis ennuyée! Pourquoi tu m'as pas rappelée? Pourquoi t'étais pas là hier? Est-ce que ça va?

Chapitre 49

**Marie-Douce
n'est plus Marie-Douce !**

Je crois être en train de rêver. Une odeur de rôtie brûlée chatouille mes narines. Je regarde l'heure : 4 h 45. Quelqu'un est déjà debout et se fait à déjeuner. Il est beaucoup trop tôt ! Sûrement Marie-Douce avec cette histoire de décalage horaire. Je m'assieds dans mon lit, incertaine de ce dont j'ai le plus envie : aller voir Marie-Douce sans tarder ou me recoucher et dormir comme une morte dans mon oreiller ?

Mon dilemme ne dure pas longtemps. Un bruit strident accompagne l'odeur de brûlé qui se fait de plus en plus forte. Est-ce l'alarme incendie ? Ah non ! C'est pas vrai ! Pas à cette heure-là !

– PAPAAAA !

C'est Marie-Douce qui crie comme une déchaînée. Hugo sort en trombe de la chambre principale, ma mère à ses trousses. La fumée commence déjà à monter jusqu'à nous. Je dois avoir les yeux ronds comme des billes, je suis figée sur place.

– Sortez par la fenêtre de Laura ! nous ordonne-t-il.

– Il va falloir que tu me guides, Laura.

Quelques précieuses secondes passent.

– Laura, grouille ! crie Hugo avec impatience.

Je dois agir, sortir de ma paralysie soudaine. Je cligne les yeux.

– Pas de problème ! Viens, maman, tu vas voir, c'est facile ! Hugo ! Tu fais sortir Marie-Douce ?

Mais il est déjà rendu en bas. Qu'est-ce qu'elle a fait, pour l'amour du ciel ? La maison est en train de brûler ! Jamais je n'aurais imaginé vivre ça un jour ! Je guide ma mère pour descendre et en deux temps trois mouvements, nous voilà en sécurité sur la terre ferme.

Les voisins commencent à sortir sur leurs balcons. C'est samedi, il n'est même pas 5 heures et le brouhaha est intense. Est-ce que quelqu'un s'est occupé d'appeler les pompiers ? Est-ce que Marie-Douce est bel et bien sortie de la maison ? Je dois faire le tour et aller voir. Passeront-ils par la porte avant ou par celle d'en arrière ?

— Attends ici ! m'ordonne maman. Ne rentre surtout pas à l'intérieur, compris ?

Je hoche la tête, distraite par toute cette fumée qui sort de partout. Les fenêtres étaient ouvertes à cause de la chaleur estivale.

— Marie-Douce, où es-tu ? Si dans trente secondes, t'es pas là, je pars à ta recherche ! 1… 2… 3… 4…

Je n'ai pas le temps de me rendre à 5, un ange apparaît, cheveux blonds allant dans tous les sens, rapide comme l'éclair. Elle me m'a pas vue parce qu'elle empoigne le support à plantes grimpantes. Essaie-t-elle de monter à mon secours ? Je fais les quelques pas qui nous séparent en un rien de temps et je l'attrape par la taille.

– T'es folle ou quoi ?

– T'es vivante ! J'ai tellement eu peur ! Je me suis ennuyée ! Pourquoi tu m'as pas rappelée ? Pourquoi t'étais pas là hier ? Est-ce que ça va ?

À quelques mètres, le camion rouge qui fait « ben bon, ben bon ! » arrive. L'eau se met à jaillir dans tous les sens. Des hommes en tenue de combat d'incendie et coiffés de casques nous ordonnent de nous éloigner de la maison par mesure de sécurité. On nous demande si tout va bien, si quelqu'un s'est blessé. Nous assurons que tout va bien.

Un homme nous jette une couverture sur le dos, nous couvrant toutes les deux. Il ne fait pas si froid, ça doit faire partie des procédures. Emmitouflée à ses côtés, je prends le temps de regarder la fille qui m'enlace si fort que j'ai du mal à respirer.

– Je rêve ou t'es plus grande que moi ? Et tes cheveux ? Ton visage… Oh, mon Dieu ! Marie-Douce ? Mais qu'est-ce qu'ils t'ont fait là-bas ?

À suivre…

☺